Antonio Dikele Distefano

CHI STA MALE
NON LO DICE

MONDADORI

⋀ librimondadori.it
anobii.com

Chi sta male non lo dice
di Antonio Dikele Distefano

ISBN 978-88-04-67743-7

Chi sta male non lo dice

IFEM

La scuola e la droga sono due aspetti della vita che ho sempre odiato.

La prima mi ha tolto del tempo, mi ha detto che potevo solo fare l'operaio e mi ha fatto conoscere falsi amici. La seconda mi ha tolto gli amici veri.

Al posto che ci ha cresciuti.
Alle mie sorelle che amo tantissimo.
A mia madre che dopo tutti questi anni
è ancora convinta
che "Endri" si chiami "Leandro".

PRIMA PARTE

Era un pomeriggio come tanti, il vento spazzava via le foglie di ottobre mentre noi parlavamo di musica, seduti in piazza Medaglie d'Oro, sulle panchine di marmo ingiallite che assorbivano il freddo e il calore dei nostri corpi vicini.

In realtà c'eravamo rivolti la parola per la prima volta due settimane prima, alla manifestazione in centro organizzata dal Festival delle culture. Si parlava d'integrazione e di cittadinanza. Potevano intervenire tutti, salendo a turno sul palco. Un uomo con una camicia bianca di lino incoraggiava i presenti ad avvicinarsi porgendo loro il microfono. Poche persone però rispondevano al suo invito e altrettante restavano sedute ad ascoltare. Si fermavano per poco e subito dopo fuggivano verso le vetrine dei negozi.

Ero arrivata nel momento preciso in cui tu avevi iniziato a parlare. Ti eri alzato in piedi e con la calma e la fermezza dell'esperienza avevi affermato "non ci lasceranno mai in pace, ragazzi! Io l'ho imparato a scuola quando volevano farmi credere che il colonialismo fosse una cosa normale e gli omicidi di massa un effetto collaterale. Lo dice la storia, lo dice la terra dei miei genitori, le barche piene di affetti e speranze che affondano in mare. Lo dicono le catene ai polsi e al collo, il Belgio fondato sui tesori del Congo, Anversa e i suoi diamanti. Lo dicono gli spari della polizia e le corse di chi ha sperato per tutta la vita di arrivare in Europa quando la ricchezza l'aveva davanti agli occhi. Non ci lasceranno mai in pace, ragazzi!".

Avevi ottenuto il consenso di tutti i presenti che applaudivano con entusiasmo, ti incoraggiavano. Tu ringraziavi stringendo mani e abbassando leggermente il capo per nascondere un sorriso soddisfatto.

Due settimane dopo, tra quelle panchine in piazza, non sapevo se ti ricordassi di me. Fino a quel momento ero stata solo una delle persone che si erano complimentate con te il giorno del dibattito. Ma tu ti allontanasti dai tuoi amici e ti sedesti accanto a me.

"Noi due ci conosciamo, vero?" mi chiedesti con tono morbido e senza preamboli.

"Non proprio" risposi sistemandomi la borsa tra i piedi, sotto la panchina. "Comunque io sono Ifem, piacere."

Chinasti la testa da un lato per guardarmi meglio. "Piacere, Yannick!"

Iniziasti a raccontarmi che partecipavi spesso a incontri come quello in piazza, che per te era fondamentale per poter provare a cambiare le cose "in questa società di addormentati".

Parlammo anche dei Radiohead, di Lauryn Hill e di cantautori e gruppi italiani che non avevo mai sentito nominare.

"I Subsonica quindi non li hai mai sentiti?" chiedesti incredulo alzando improvvisamente il viso verso di me.

"No, mai. È da quando sono piccola che mi rifiuto di ascoltare musica italiana. Però ti prometto che li ascolterò" risposi sorridendo.

Ignorammo tutti, per un tempo sufficiente a capire che tra noi, se avessimo voluto, sarebbe potuto accadere qualcosa.

Forse cercando di prendermi in contropiede, con tono deciso mi chiedesti "non hai il ragazzo, vero? Sei così bella e sei single, perché?". Io replicai seria che non l'avevo mai avuto "perché c'è un abisso tra essere bella ed essere compresa" e tu senza darmi il tempo di finire mi domandasti "non dirmi che anche tu credi che la felicità sia un'altra persona?".

Scossi la testa senza dire niente.

Era un altro pomeriggio come tanti, quando noi, seduti sulle panchine di marmo ingiallite, ci scambiammo il primo bacio.

Subito dopo, mi accarezzasti i capelli guardandomi negli occhi, per poi indicare la macchina posteggiata davanti a noi dove c'era un ragazzo con la testa china in avanti.

"Ne vuoi un po'?" mi chiedesti con tono complice.

Senza capire del tutto la domanda, scossi la testa, e tu sorridendo ti alzasti, andasti alla macchina e ti sedesti al posto del tuo amico. Sniffasti le ultime due piste rimaste sul cruscotto e poi tornasti di fianco a me senza dire più niente.

Mi chiedevi di cercare i soldi per procurarti le buste in casa mia, nei cassetti e nell'armadio di mio padre. Lo dicevi e subito, appena cambiavo espressione, cercavi di farmi credere che stavi scherzando. Per non discutere, provavi a farmi sorridere senza renderti conto di quanta ipocrisia ci fosse nella tua dolcezza.

Quando non riuscivi a procurartela, ingerivi sonniferi per attenuare il dolore e finalmente riposare. Una notte mi confessasti che c'erano giorni in cui ti alzavi dal letto e sentivi che non saresti riuscito a fare più niente senza.

Quando stavamo bene, ridevamo senza ragione, parlando per ore, seduti per terra sotto i portici.

"La mia ultima relazione è finita perché lei non

riusciva a immaginarsi un futuro insieme a un drogato" mi raccontasti un giorno, appoggiando la testa contro il muro e facendoti improvvisamente serio. "Quando discutevamo, mi chiamava così perché sapeva che non lo sopportavo. Avevamo compagnie diverse, non salutava i miei amici quando li incrociava per strada. Si giustificava dicendo che eravamo diversi quando per me noi eravamo insieme uguali. Quando mi lasciò, iniziai a farmi tutti i giorni, anche in camera mia. Cosa mai successa prima. In realtà era più la paura di perdere un punto di riferimento che quella di perdere lei, perché l'abitudine solitamente ci fa accettare qualsiasi dolore, qualsiasi amore. Non mi ero reso conto o forse fingevo di non aver capito che noi eravamo solo il rimorso di ciò che non avevamo fatto e non avremmo più potuto fare."

Non replicai.

Era la prima volta che mi parlavi del tuo passato, qualche volta in maniera velata mi avevi accennato qualcosa, ma quel giorno intuii che le tue parole contenevano una verità che non volevi più nascondere.

Molte volte parliamo del nostro passato e dei

nostri problemi non per risolverli, ma solo perché abbiamo bisogno di sentirci ascoltati e compresi. E io volevo ascoltarti, volevo comprenderti.

Misi la mano sulla tua, mi appoggiai con la testa nello spazio tra la spalla e il petto e iniziai a raccontare: "Dove abitavamo prima, di fronte a casa c'era un ristorante e quando festeggiavano un matrimonio c'erano luci, musica, fuochi d'artificio. Allora io e la mia famiglia ci sedevamo sul balcone e rimanevamo fermi a guardare. Io e mia cugina eravamo piccole e per noi quello era lo spettacolo più bello del mondo. Una sera, prima che ci mandassero a dormire, mia cugina che non parlava mai, senza spostare lo sguardo dai fuochi che illuminavano il cielo pesto, disse a mia madre 'zia, anche io un giorno vorrei sposarmi, sai? Però c'è una cosa che non ho capito: l'amore con il tempo aumenta o diminuisce?' Mia madre non seppe rispondere a quella domanda, nessuno ci riuscì quella sera. Negli anni non ho mai avuto modo di scoprirlo e credo nemmeno mia cugina. Non ti voglio offendere, ma io credo che tu sia pigro, che se ami una persona come dicevi di amare quella ragazza, una rinuncia avresti potuto farla. Ma la realtà è che tu non ti rendi conto di quanto quella roba ti cambi e ti stia annientando. Dico sul serio. A volte mi fai paura. Sai? Mia madre, molti anni fa, mi disse che nella vita si incontrano persone che ci fanno credere che una relazione può durare per sempre e persone che ci insegnano che non ne durerà nessuna. E io sinceramente spero ancora che tu possa insegnarmi che si può anche essere felici insieme a qualcuno".

Abbassasti lo sguardo verso di me, mi prendesti il viso tra le mani e socchiudesti le labbra per baciarmi.

Lo facevi ogni volta che volevi cambiare discorso.

Non eri disposto a rinunciare.

Oltre a tirarla, qualche volta la fumavi, raggiungendo uno stato di euforia in pochissimi secondi per poi risvegliarti sudato e pieno di angoscia.

Io ascoltavo tutto ciò che non riuscivi a dirmi perché spesso, quando invece parlavi, lo facevi per contestare qualcosa e manifestare il malessere che covava dentro di te.

"Ifem, non ci fermeremo finché non capiranno che non siamo neri che si sentono italiani, ma italiani neri" ripetevi continuamente.

Facevo ogni cosa che mi chiedevi, anche quando pretendevi che le tue idee e le tue fissazioni assurgessero al rango di esigenze esistenziali imprescindibili.

Col tempo poi però fu la droga a fermarti, ad aprirti ferite che non si sarebbero risanate mai.

Compravo il bicarbonato e l'ammoniaca per bagnare le sigarette al supermercato di via Aquileia, dove prima lavorava mia madre. Mi salutavano tutti con eccessiva gentilezza quando entravo, quando mi riconoscevano, senza sapere a cosa serviva la mia spesa. In quegli anni non mi sono mai resa conto di come il tempo passasse veloce, di come io avessi accettato i tuoi riti e le tue abitudini, le continue oscillazioni dei tuoi pensieri alterati.

Uscivo più spesso, rientravo a notte fonda, mi sentivo bene nonostante tutto.

Nonostante la Bossi-Fini e gli sguardi indiscreti, nonostante non avessi nessuno oltre mio padre.

Nonostante mi sentissi sola e triste.

Vivevo tantissime solitudini. Mi sentivo sola pur trovandomi in mezzo alla gente, quando ero l'unica a rimanere fino a tardi in piazza, mentre mangiavo leggendo un libro aspettando che arrivasse qualcuno o cambiasse qualcosa.

I tuoi cambi d'umore erano artificiali, ma non per questo meno reali.

Sparivi quando non trovavo i soldi e mi urlavi di cercarmi un lavoro che se no non ti servivo.

Allora io tenevo conto delle tue parole in silenzio e nel profondo ci restavo male perché fregarsene è un modo di affrontare la vita che io non ho mai capito.

Spesso ho detto "non me ne importa niente" quando non era vero, e rimanevo ferma a guardare fisso un punto lontano e quando spostavo lo sguardo speravo che poi gli occhi di chi mi aveva ferito fossero ancora lì, su di me.

Spesso ho mentito a me stessa credendo di essere d'accordo con le decisioni che prendevo e quindi semplificavo immensi messaggi, abbracciavo con gli occhi e amavo in silenzio per paura che la risposta potesse essere un rifiuto.

Non volevo farmi del male e invece me ne facevo più di tutti. Ero diffidente e capitava che quando qualcuno che non eri tu si avvicinava, io diventassi seria in un attimo. È difficile mostrarsi indifferenti, convivere con la solitudine di scrivere messaggi che non sono indirizzati a nessuno.

Quando ti rivolgevi a me con quei toni, ero capace solo di prendere le mie cose e andarmene, ma poi mi rendevo conto che potevo fuggire dove volevo che non sarebbe comunque cambiato niente, perché dove vai conta fino a un certo punto quando non sai dove posare gli occhi. Tu dovevi essere la mia metà e invece ti prendevi tutto, anche quando non c'eri. Dare troppo non è sbagliato, diventa un problema quando non otteniamo in cambio il sostegno per continuare a farlo.

Quando volevi scusarti, ti presentavi sotto casa mia senza avvertirmi. Sorridevi e ti comportavi come se tutto fosse sistemato, ma il mio cervello era in frantumi e il mio sguardo perso.

Spesso eri rallentato nei movimenti e sembravi non provare alcuna emozione. Salvo le volte che avevi scatti di nervosismo, come quando tua madre ti chiamava urlandoti contro che in casa erano iniziati a sparire dei soldi.

I tuoi amici ti chiedevano "come stai?" mentre se ne andavano, non ti cercavano quando scomparivi.

Fumare le sigarette bagnate e tirarla ti aiutava a cacciare tutta la sofferenza che portavi dentro, a ignorare la verità su quanto fossi solo, che nei momenti di sconforto veniva a galla come i rifiuti in mare.

Con la schiena appoggiata alla ringhiera, sotto casa, ci rendevamo conto che noi eravamo diventati un pezzo di quel marciapiede e di quella piazza senza speranze dove, con le mani affondate nelle tasche dei giubbotti, passavamo pomeriggi a fissare gli sguardi dei passanti.

Tutto ciò che ci circondava, nonostante l'evidente abbandono, stava in piedi, senza irreparabili erosioni. A cadere a pezzi erano le persone prive di impalcature, schiave delle condizioni economiche al punto di attaccarsi al lavoro per rinunciare alla vita.

Quando eravamo ragazzini, eravamo convinti che si potesse decidere di stare bene o stare male e quindi in ogni momento sorridevamo ad alta voce mentre i nostri padri fingevano serenità agli occhi dei vicini e dei parenti. Chi non ci riusciva beveva fino ad annullarsi e alzava le mani sui figli e sulle mogli dietro imposte serrate come in piena estate. La gente sapeva e non faceva nulla, cancellava con indifferenza i rumori ostili che arrivavano da quegli appartamenti. Addosso avevamo tutti l'odore dei poveri e le scarpe consumate di chi è abituato a frenare in bici coi talloni.

In quegli anni facevamo tante cose sbagliate, convinti che fossero giuste.

Quella piazza era composta da sedicenni strafatti di storie, droghe, sensazioni radicate, errori, dettagli marginali che ci differenziavano l'uno dall'altro, perché non sapevamo relazionarci con chi era uguale a noi.

Tu sostenevi che nella vita avevi sempre cercato di aver vicino persone capaci di prestarti parole che non conoscevi, che potessero trattarti come non credevi di meritare, raccontandoti cose che non eri in grado di spiegare. Dicevi in continuazione che non capivi quei gruppi di ragazzi dove tutti erano uguali anche nel modo di vestire. Ti chiedevi e immaginavi le loro conversazioni dove non c'erano scontri o divergenze ma solo false opinioni.

"Ifem, fin da bambino, io ho sempre evitato di fingere amicizie inesistenti. Piuttosto stavo per i fatti miei. Nella mia famiglia tutti mi hanno sempre rimproverato qualcosa e io allora provavo a scendere a compromessi con me stesso limitando i lati di me che potevano risultare fastidiosi. Ma era inutile perché ogni volta ne trovavano altri. Ho capito poi, dopo tanti tentativi, che non dovevo per forza cambiare me stesso, che sarei stato più felice se mi fossi scelto un po' di più, ogni tanto."

Stavamo rientrando a casa a piedi, io e te, a tarda notte. Potevamo anche essere scalzi che non ci avrebbe visto nessuno. Ci tenevamo per mano senza parlare. Rientravamo da un concerto acustico al Bronson dei Mellow Mood, era aprile ma sembrava di essere in piena estate al punto che entrambi avevamo allacciato la felpa alla vita.

Riflettendo ad alta voce dissi: "Io ero d'accordo con mia madre solo sul fatto che non mi piacevo. Quando mi trovava chiusa in camera, mi chiedeva sempre 'perché non esci? Non hai delle amiche?' e io mi limitavo a guardare da un'altra parte senza rispondere. Attorno ai miei tredici anni, mio padre non c'era, era rimasto al Sud per motivi di lavoro. Vivevamo a casa di mia zia. Dormivo in un letto a castello che condividevo con mia cugina. Ricordo che per strada, solo perché mamma era sempre sola, i vicini pensavano fosse una prostituta. Quando si avvicinavano, lei mostrava la fede al dito e con un sorriso teso rispondeva 'sono sposata'. Qualcuno se ne andava, altri insistevano domandando 'quanto vuoi?'. Mio padre era un uomo fortunato, mia madre non l'avrebbe sostituito con niente e nessuno. Lei era una donna bellissima, papà invece aveva un volto scavato, alternava scatti di gioia a malumori improvvisi".

"Perché non avevi amiche?" mi chiedesti interrompendomi.

"Non ne avevo perché mi sentivo a disagio tra gli italiani. Anche quando mi trattavano bene, mi facevano sentire diversa con le loro domande stupide. Non riuscivo a essere me stessa con loro. Le mie coetanee non mi capivano, loro avevano altro a cui pensare mentre io cercavo di scoprire più cose possibili sulla mia identità e le mie origini. Davanti allo specchio, mi toccavo i capelli. Sapevo di essere diversa dalle altre, ma non mi sentivo così. Le prime serate nei locali ho iniziato a farle con mia cugina, durante i primi anni di liceo, e con quelle sono arrivati i primi tentativi di amicizia e di stare in un gruppo, sono arrivati i primi ragazzi che si avvicinavano a me e che dopo poco tempo lasciavo con un messaggio o smettendo di salutarli. Forse avevo solo paura, facevo così perché non volevo scoprire sulla mia pelle che gli uomini erano tutti uguali, come diceva mia cugina."

Tenevi gli occhi fissi sulla strada e prima di guardarmi di nuovo facesti una smorfia. "Prima di te, tutte le ragazze con le quali stavo mi hanno sempre detto che gli uomini sono tutti uguali, come diceva tua cugina. Allora io ho provato a capire in cosa ero uguale agli altri e mi sono messo di impegno, provavo a essere più attento quando la ragazza con cui uscivo mi parlava, a guardarla dormire quando si addormentava, provavo a baciarle la schiena e a restare calmo quando era nervosa e lei stessa si definiva intrattabile. Una volta mi presentai pure al bar dove lavorava per farle una sorpresa e ne rimase contenta, ebbi questa impressione. Mi abbracciò posando la guancia sul petto. Ma poi l'ho vista tornare da chi disprezzava, da chi vedeva in lei solo le forme e non le forme di pensiero, l'ho vista trattarmi come avevano fatto con lei in passato, facendomi pagare errori che avevano commesso altri prima di me. E ho capito che non è vero che siamo tutti uguali, siete voi a scegliere uomini tutti uguali."

Soffiava un vento caldo e avvolgente, lonta-

no contro il cielo si intravedeva la linea traccia-
ta dalle onde del mare.

Amavo ascoltarti, l'avrei fatto per ore e mentre mi parlavi ti guardavo.

Ti guardavo come si guarda qualcosa che si
sa già che ci mancherà. Troppo esile e indeciso
per durare. Un punto fermo che non c'è. Ti guardavo come si guarda il tramonto, come quando
per strada d'inverno si cerca il mare dal finestri-
no della macchina. Ti guardavo come si guarda
un treno appena perso, sperando ancora che si
fermi e che si aprano le porte. Ti guardavo non
perché eri bello, non perché eri tutto, ma perché sentivo di avere molto di più.

Ti guardavo perché non è vero che la felicità
siamo noi stessi.

Mettevamo sempre gli stessi giubbotti con il pelo nel cappuccio e di una taglia in più per coprirci dal freddo. Il primo anno in cui siamo stati insieme, dicembre arrivò subito dopo settembre, i mesi passarono in fretta e quello che accadde in mezzo proprio non riesco a metterlo a fuoco. Furono giorni di pioggia, d'inverno. La sera, quando i miei andavano a dormire presto, mi chiudevo in camera e sdraiata sul letto mi strusciavo sul cuscino, mi toccavo provando piacere, muovendomi appena per fare meno rumore possibile. Erano gesti che spesso duravano pochi attimi. Diventai presto consapevole del mio corpo.

La prima volta che abbiamo fatto l'amore è stata a casa tua. Dopo essere andati al porto, avevi deciso che dovevamo dormire insieme. Io ho provato a dire di no, tu ci sei rimasto male e io ho cambiato subito idea. Era un brutto periodo per noi, tu non riuscivi a controllarti e spesso mi facevi paura. Una sera ti eri presentato con una lettera e mi avevi chiesto di leggerla ad alta voce. Quello era il tuo modo per scusarti e io senza guardarti una volta negli occhi l'avevo presa in mano e avevo iniziato a leggerla:

"Che sei bella lo sanno tutti. Ma non tutti sanno che quando ti bacio tra l'orecchio e il collo fai una smorfia di piacere, che di notte anche quando non c'è nessuno parli a bassa voce come a non voler disturbare, che ti addormenti di colpo e respiri piano, che tieni gli occhi chiusi quando baci e le mani sul mento di chi baci. Non sanno che vuoi sentirti protetta, che sei sensibile. Non sanno che provi i brividi se ti bacio sulla schiena, che quando te ne vai, poi fai venire voglia di vederti ancora."

Arrivati a casa tua, un po' di paura ne ho provata, perché era la mia prima volta e tu questo non lo sapevi. Ho capito dall'intensità dei tuoi baci che eri eccitato. Avevo paura di deluderti, che non ti sarei piaciuta. Mi hai detto di stare tranquilla e io ti ho ascoltato. Mi baciavi fino al ventre e poi ti fermavi. Mi hai tenuta stretta a te come se temessi di perdermi. Mi toccavi il seno con forza mentre con una mano ti accarezzavo il sesso e con l'altra il volto. Sei entrato dentro di me lentamente, guardandomi negli occhi per rassicurarmi. Eri bello in un modo trasandato e umano.

Dopo ci siamo addormentati per un po' con le teste sullo stesso cuscino e il respiro alternato.

Nelle settimane successive abbiamo atteso con ansia che mi arrivasse il ciclo.

"Mi sono venute."

Hai sorriso quando te l'ho detto.

Non sapevo però che per te sarebbe stato sempre troppo presto per avere un figlio.

Sempre troppo presto per prendersi sul serio.

L'età del malessere è stato uno dei primi libri che mi hai prestato, non l'hai mai rivoluto indietro. La radice del tuo malessere era il risultato delle molteplici delusioni ricevute dai tuoi affetti importanti. Tu eri le foto che cancellavi, il sorriso nascosto dietro la mano messa davanti alla bocca.

"Io ho paura di non poter fare nulla per aiutarti e sento anche che tutta questa roba non ti dà l'equilibrio che cerchi ma solo nuova rabbia. Ho paura che un giorno tu possa non piacermi più, perché ogni giorno che passa diventi un'altra persona. Penso sempre a quanto tu sia bello così."

Mentre parlavo, tenevi d'occhio la bicicletta legata a un palo della luce dall'altra parte della strada. Eravamo rimasti seduti sulle panchine come se il tempo non passasse e quello fosse l'unico luogo possibile dove poterlo passare.

Mi guardasti con disaccordo e ti voltasti nuovamente verso la bicicletta senza rispondere.

Mi facevi arrabbiare perché per me tu eri sempre bellissimo, così bello che non credevo fosse possibile. Ogni ragazzo, in ogni momento della giornata lo paragonavo a te. Non c'era una volta in cui io avrei potuto dirti "no, secondo me staresti meglio così", perché tu non saresti stato meglio in nessun altro modo per me.

Eri bellissimo quando sorridevi, quando mi prendevi in giro, quando mi ignoravi. Ti guardavo per minuti interi senza stancarmi perché non ci si stanca mai delle cose infinite.

Ti inumidisti le labbra e con amarezza mi dicesti "tu non devi aiutarmi. Smettila di parlarmi come se fossi malato. Io so cosa devo fare, lasciami in pace, cosa vuoi da me?".

Io da te non volevo nulla, o forse solo stare bene, nient'altro.

Non pretendevo che curassi le mie ferite e nemmeno che mi insegnassi che non ero capace di sentirmi viva da sola, che le storie d'amore non sono altro che storie di vita destinate a finire. Non volevo niente, perché quando mi sono aspettata qualcosa, la vita mi ha risposto "tanto non succederà", perché quando ho provato a essere felice, ho capito che mi sarebbe bastato solo stare meno male.

"Non voglio niente, Yannick. È che tu dici di sapere cosa devi fare, ma in realtà non lo sai. Non vuoi ammetterlo, non ti sei accorto di come il tuo viso sta cambiando, del fatto che non pensi ad altro?"

Senza accorgermene, avevo alzato la voce, tu ti alzasti per dirigerti verso la bicicletta e con le chiavi in mano dicesti "Ifem io non sono una foto. Nella mia vita non ci dovete stare tutti. Se sto cambiando, forse è meglio che mi lasci. Io non mi sono accorto di niente, te ne sei accorta solo tu". Poi facesti un cenno della mano, come per salutarmi.

Non me ne ero accorta solo io. I primi a rendersi conto che eri diverso furono i professori.

Una mattina chiamarono tua madre e le dissero che eri diventato problematico e lei minimizzò dicendo "è sempre stato così". Dimenticavi spesso lo zaino a casa e ti addormentavi in classe. Dissero a tua madre che non parlavi con nessuno fuori dalle lezioni, che stavi sempre per conto tuo. Perché per loro essere adolescente significava parlare un sacco, chiacchierare per ore di niente, correre durante educazione fisica, fidarsi di chiunque. Non sapevano che per un ragazzo come te, che aveva vissuto così tante solitudini affollate, era complicato essere qualcuno in mezzo ad altri. Smettesti di essere una persona in mezzo ad altre persone. Appena mettevamo piede fuori casa ti aspettavi il peggio. C'erano momenti in cui ti sentivi vulnerabile e avevi timore di incontrare qualche conoscente che ti avrebbe fermato a parlare. A volte cercavi di distogliere l'attenzione dal tuo sentirti fuori posto, ma non sempre ci riuscivi.

Avevo un'amica un tempo, Keila. Portava sempre i capelli raccolti. Erano tinti ma non del tutto. Veniva da Buenos Aires, quando parlava non pronunciava bene la lettera "V". Al posto di dire "va bene" diceva "babene". Io ascoltandola sorridevo e lei senza capire mi chiedeva con sguardo innocente "cosa ridi?". In poco tempo entrammo in confidenza e io le raccontai di te, mentendo le dissi che era tutto sotto controllo e potevi smettere quando volevi, che mi amavi tanto e mi promettevi baci, che poi non mi davi. E lei, intuendo tutte le difficoltà della nostra relazione, mi diede questo consiglio: "Innamorati di chi mette in pratica ciò che dice" e poi mi chiamò "amica mia". Fu la prima e l'ultima volta che qualcuno mi chiamò così.

Parlavi solo tu e quando provavo a confidarti cosa si nascondeva nei miei silenzi messi come virgole tra una tua parola e l'altra, annuivi e riprendevi da dove era rimasto in sospeso il tuo discorso. Quando non ti facevi, ci drogavamo di rumore, delle tue parole, di te che ti innervosivi per niente. Dovevo smetterla di parlarti come se tu fossi interessato ad ascoltarmi. Le tue erano conversazioni con te stesso, così come i tuoi discorsi infiniti sull'integrazione e la pelle nera che dopo un po' stufavano perché erano sempre gli stessi.

"Ifem, ascoltami, dài. Guarda che a noi non è stato insegnato a essere neri, è stato insegnato a loro a chiamarci così. Ci nutriamo di etichette, le accettiamo e accettiamo di averne una. Tutte queste persone, i miei vicini di casa e anche i miei amici non hanno ancora capito che questa è solo la mia pelle e non determina proprio un bel niente. È come confondere l'auto con il pilota e credere che siano la stessa cosa, perché quando mi dici che ho una bella macchina non mi stai dicendo che sono una bella persona e viceversa. L'errore sta nel non vedere nelle persone che sono solo persone."

Ti ascoltavo persa, infelice ma incapace di mettere un punto e andare a capo. L'amore vero era rimasto solo nelle linee immaginarie che tracciavo sulle tue labbra quando dormivi.

C'erano pomeriggi in cui ridevo reprimendo la voglia di tirarti un pugno e sputarti addosso. Anche io avevo le mie ferite, i momenti in cui volevo piangere in pace, lontano da chi come te mi chiedeva solo, senza darmi niente.

Mi facevi male e io ti chiedevo scusa. Cercarti quando non avevo i soldi che volevi non era che un modo per maltrattarmi. Facevamo l'amore e subito dopo mi si chiudevano gli occhi e tu prendevi le tue cose in silenzio, socchiudendo la porta alle tue spalle. Mi svegliavo, ti raggiungevo a casa quasi di corsa per paura di perderti. Mi facevo a piedi tutta quella strada per poi non sentirmi dire niente di importante o che mi facesse sentire apprezzata.

SECONDA PARTE

È deceduta il 29 dicembre del 2004 in seguito a un frontale con un muro in cemento armato di alcuni palazzi in costruzione tra via Fiume Abbandonato e piazza della Resistenza. Avevo sedici anni. I giornali scrissero che a causare l'incidente era stata la strada bagnata che le aveva fatto perdere il controllo dell'autovettura. Il corpo di mia madre rimase intrappolato tra le lamiere della macchina e fu necessario l'intervento dei vigili del fuoco per tirarla fuori. I medici non poterono fare altro che constatarne la morte. Dopo quel giorno, quasi tutti i nostri famigliari, compresa mia zia Jìna, sorella di mia madre e migliore amica di mio padre, smisero di venirci a trovare, facevano fatica pure a salutarci quando ci incrociavano per strada. Mia madre, l'ultima volta che la vidi, prima di scendere le scale, girandosi verso di me con il volto rigato dalle lacrime, mi disse "confida sempre e solo in te stessa, Ify" e poi si chiuse la porta alle spalle.

Non capii mai il senso di quella frase.

Papà non ha mai risposto alla domanda "perché mamma quella sera piangeva?". Si interrompeva sempre per un istante rabbuiandosi. Non provava nemmeno a cambiare discorso, semplicemente restava in silenzio guardando un punto fisso davanti a sé mentre io attendevo impaziente una risposta che non arrivava.

Spesso mi sono sentita dire "come sei timida".
Mi arrabbiavo e ci rimanevo male, perché vedevo come un insulto il fatto che altri sottolineassero il mio essere insicura. Molte volte mi sono sentita dire dalle mie colleghe e da mio padre "devi intervenire di più, devi parlare, devi sorridere". Mi convincevo che loro riuscivano a parlare con più facilità con le persone perché avevano qualcosa in più di me, ma mi sbagliavo. La timidezza è una forma di protezione verso noi stessi. Io uscivo con le persone che mi ero scelta e non parlavo con chi non mi interessava. Molte volte mi sono sentita dire "devi sbloccarti, dài, vai da lei, perché non conosci qualcuno e non provi a fidanzarti?". Ma chi "prova" a fidanzarsi di solito fallisce, l'ho capito a mie spe-

se, provandoci. Sentivo di aver bisogno di qualcuno e allo stesso tempo non stavo bene con nessuno. Per me era faticoso dover sorridere, essere gentile quando invece pensavo a tutt'altro, e dover affrontare chi voleva sapere sul serio come stavo quando per me non era ancora il momento di parlare di quello che portavo nel cuore. Spesso fingevo di stare bene quando invece volevo urlare il mio dolore.

Fingevo indifferenza mentre i miei occhi invocavano abbracci. Fingevo di sorriderne, di non sapere che le relazioni finiscono sempre come quando nei sogni si vuole urlare, ma non esce la voce. Sono sempre stata quel tipo di persona che quando vede una porta chiusa non sente sempre il bisogno di bussare.

Ho iniziato a scrivere su carta le mie emozioni da bambina, perché nessuno mi ascoltava.

A tavola parlavano tutti tra di loro mentre io con gli occhi cercavo l'attenzione di qualcuno e quando credevo di averla ottenuta, prima ancora che iniziassi a parlare, quel qualcuno spostava già da un'altra parte lo sguardo. Le loro voci che si accavallavano erano sempre più forti della mia. Tutti m'interrompevano senza rendersi conto che stavo provando a esprimere un concetto. Ho imparato che le parole non dette o che non ti hanno lasciato dire, col tempo diventano corazza. Ho creduto che non essere ascoltati fosse sinonimo di non avere nulla da dire e sono rimasta per quasi tutta la vita ad ascoltare, ad annuire anche quando non ero d'accordo.

Ancora oggi dopo tanto tempo ci sono sere in cui torno a casa e mi ricordo che fino a qualche tempo fa questo silenzio mi faceva paura, che la solitudine non è restare soli ma diventare silenziosi o bisognosi di ascolto. Che si è soli non quando nessuno ci parla, ma quando nessuno ci capisce.

Le mie lotte continue con mia madre, che voleva una figlia più ordinata e con le idee chiare. Era una donna con un carattere dominante, io remissivo.

Mia madre non mi ha mai chiesto scusa quando poteva farlo.

Per una vita, ho giurato che non sarei mai diventata come i miei genitori, come chi si rifiuta di chiedere scusa anche quando è palesemente dalla parte del torto. A mio padre sarebbe bastato anche un veloce "mi dispiace" mormorato senza pensarci troppo e invece si è comportato sempre come se ammettere di aver sbagliato o ferito qualcuno facesse perdere posizioni e potere. Ci si può scusare con un sorriso o un abbraccio quando dirlo risulta troppo difficile, ma non si può perdere una persona che si ama, per una parola mancata.

La convivenza con mio padre è stata una convivenza silenziosa. Negli anni in cui abbiamo vissuto insieme, mi ha sempre salutata con un cenno del capo. Quando salendo le scale mi trovava seduta su un gradino, perché avevo scordato le chiavi, lui non mi rimproverava, si limitava a dirmi "entra" o "stai più attenta la prossima volta".

Abitavamo in un piccolo appartamento in periferia. La via si chiamava Tommaso Gulli. La casa aveva due camere da letto ed era arredata con il gusto di un uomo anziano. Mobili in legno, poltrone in stoffa, lampadari orribili. Non toccammo nulla dell'arredamento perché eravamo in affitto e il proprietario ci aveva impedito di spostare i mobili o cambiarli. Il balcone affacciava sul cortile interno, e io di notte mi sedevo lì a guardare le finestre degli altri, ad ascoltare i rumori nelle case dei vicini provando a decifrarli. Di fronte a noi viveva una famiglia di italiani che ogni domenica riuniva tutti i parenti a pranzo. La prima settimana che entrammo in casa, ci misero subito in guardia rispetto al quartiere, dicendoci "sono poche le persone per bene qui, non uscite tanto la sera".

Ogni giorno si sentivano notizie di furti, borseggi e spaccio. Di notte le strade diventavano il campo di battaglia di chi conosceva pochi altri metodi di sopravvivenza. La mattina, gli spacciatori si concentravano nei vicoli intorno alle scuole, mentre la sera, quelle stesse strade buie e silenziose diventavano teatri di violenza e prostituzione. Qualcuno ci aveva provato a rivalutare la zona, qualche residente coraggioso organizzava manifestazioni e concerti cittadini in piazza per mostrare che in quel pezzo di strada c'era anche un pezzo di vita. Ma tutto risultava inutile.

Dalla finestra della mia camera vedevo chilometri di cemento armato. Nei cortili delle case le persone andavano e venivano, immerse nei loro traffici. I lampioni emettevano una luce gialla che da lontano sfocava i dettagli, lasciando intravedere solo le ombre. Gli appuntamenti con gli spacciatori avvenivano nella piazza a ridosso del centro ricreativo dove anche tu a volte ti fermavi a comprarla.

Le notti in cui ero a casa, rimanevo sveglia fino a tardi. Provavo a riconoscere le voci e i rumori, immaginando cosa stesse succedendo fuori dalla mia stanza. Mio padre mi rimproverava sempre, diceva "vai a dormire, che la bolletta della luce non la paghi tu".

Ma io ho sempre amato quei momenti, quelle notti in cui non riesci a dormire e pensi, quelle notti in cui appoggi la testa sul cuscino alle due, chiudi gli occhi alle tre e ti addormenti alle quattro. Il posto più bello dove sono stata nella mia vita non è stato un luogo, ma un tempo: la fascia oraria che oscilla tra le ventitré e le quattro del mattino.

A volte, mi sedevo sotto casa dopo aver buttato la spazzatura e pensavo "perché si chiamano parchi pubblici?". Pensavo ai parchi, perché ne avevamo uno dietro casa, si chiamava "Parco delle mani fiorite" ed era famoso perché di notte i tossici gettavano le siringhe a pochi metri da dove giocavano i bambini. Pensavo ai parchi perché in qualche modo mi sentivo come loro, sola allo stesso modo. I parchi pubblici non appartengono a nessuno e per averli non dobbiamo pagare nessuno, ma per la loro salvaguardia esistono i cancelli. E anche io avevo tanti cancelli, alti, per la mia salvaguardia. Mi proteggevo dalle persone e dal dolore che potevano causare. Se attorno a me ci fosse stato un muro, non le avrei viste, ma attraverso le inferriate le vedevo, le sentivo e potevo anche toccarle a distanza di sicurezza. Durante quelle notti infinite, pensavo a mia madre, mi chiedevo "quanto dura un ricordo?", mi dicevo che se i sentimenti dipendessero dalla volontà io non l'avrei amata più.

Con il telecomando in mano, cambiavo canale di continuo. Io i telegiornali non li guardavo perché ogni giorno volevano farmi credere che l'immigrazione sarebbe stata fermata cambiando i governi, che gli appalti dei campi nomadi finivano in tasca ai rom. Volevano farmi credere che per fare la rivoluzione bastava riempire le piazze di gente, in un paese senza idee.

Parlavano delle persone che scappavano dalla guerra come se fossero state loro a farla scoppiare. E rinforzavano le loro idee con l'ipocrisia: si riscoprivano cristiane quando la colpa era dei musulmani, bianchi quando ad aver ucciso era stato un nero, settentrionali quando i crimini avvenivano al Sud. Parlavano allo stomaco delle persone e non alla mente. Non volevo ascoltarli perché il motore principale delle scelte che fa un uomo sono la paura e la rabbia. E io non volevo ulteriori paure. Quando i ragazzi dei centri sociali si riunivano in piazza per parlare, sembrava che a loro bastasse essere arrabbiati per credere di poter cambiare le cose. Avrei voluto scuoterli per le spalle e dire loro che la rabbia non porta a nulla, che le scelte giuste le fanno le persone tristi o felici, ma mai arrabbiate.

Anche io ero arrabbiata. Ero arrabbiata con la vita.

Ero arrabbiata con mia cugina che aveva detto a mio padre che ero fidanzata da anni con un tossicodipendente, mentre io cercavo ancora, seppure in maniera maldestra, di mascherare il disastro che eri diventato.

Quando mio padre lo scoprì, mi picchiò sbattendomi la testa contro il muro e tirandomi un pugno sul labbro. Le mie urla attirarono l'attenzione dei vicini che intervennero per fermarlo. Lo tenevano per i polsi e facevano da scudo tra me e lui per impedire che riuscisse di nuovo a colpirmi. Singhiozzavo e respiravo a fatica. Mi tenevo il volto tra le mani. Mio padre alla fine si calmò, trasse un lungo respiro, si sistemò la giacca e si diresse verso la sua stanza come nulla fosse, senza degnarmi di uno sguardo. Quando mi passò davanti, reprimendo con fatica l'affanno e il fiato corto, gli chiesi con voce piena d'odio "perché mamma quella sera piangeva?"

"Non ti voglio più vedere" mi rispose urlando. "Ti voglio fuori da casa mia!"

La mattina seguente aspettai che lui andasse a lavoro, raccolsi le mie cose e me ne andai senza dirgli nulla per venire a vivere con te.

Quando tu stavi male, ti rifugiavi per ore al mare lasciandoti cullare dalle braccia avvolgenti delle onde. Dicevi che l'acqua rilasciava delle sostanze che ti davano una sensazione di benessere e felicità.

"Vado al mare" mi dicesti un giorno. "In bici."

"È un modo per dirmi che posso venire con te o che vuoi andarci da solo?"

"Se tu venissi, non capiresti. Però sei libera di fare come vuoi."

"Vengo" risposi con troppa decisione.

Era l'alba, la spiaggia era deserta. Tu eri silenzioso, appoggiasti il tuo zaino, svuotasti le tasche, ti sfilasti la maglia ed entrasti in acqua.

Il mare era calmo, le onde lambivano la spiag-

gia e poi si ritraevano con regolarità, senza troppo rumore.

Portai le ginocchia al petto, le avvolsi con le
braccia e ci appoggiai la testa.

Ti guardavo da lontano.

Tenevi gli occhi chiusi, le braccia distese e le
gambe divaricate per restare a galla.

Poco dopo mi feci coraggio ed entrai anche
io in acqua, le onde mi spingevano indietro, mi
abbracciavano con forza.

Resistetti pochi istanti.

Uscii dall'acqua di corsa tossendo.

Non mi dicesti nulla, fino a quando non usci-
sti anche tu dall'acqua.

"Ifem."

"Sì?" risposi aspettandomi un rimprovero.

"È stato così anche per me la prima volta, non
ti preoccupare."

Accolsi in silenzio le tue parole mentre mi
porgevi una mano sorridendo. "Dài, andiamo."

Ci sono stati momenti in cui siamo stati capaci di volerci senza farci male, quando facevamo l'amore, quando per mezzo grammo sorridevi e iniziavi a parlare del futuro, costruire certezze e una vita insieme. Ma dopo tante parole ti addormentavi e mi ricordavi mia madre che dormiva sempre il pomeriggio dopo il lavoro.

In casa calava un silenzio pesante quando riposava, ogni rumore poteva svegliarla e allora io cercavo di stare fuori il più possibile. Oziavo in compagnia sulle panchine di piazza Medaglie d'oro, ascoltavamo i Lunatic e parlavamo male di chi ci aveva ferito come a disfarci del bene che gli volevamo ancora.

Quando invece rientrava a casa tardi dal lavoro, mamma si muoveva in silenzio, non appena si accorgeva che mi ero addormentata in salotto. Ricordo l'odore di lattice sulle sue mani quando mi accarezzava per svegliarmi e dirmi che dovevo andare a dormire in camera e io che mi alzavo in silenzio senza dire una parola con lo sguardo vitreo di chi è nel dormiveglia. Prima di dormire si faceva sempre un tè verde e quando ripenso a quegli anni, nelle mie orecchie risuonano i rumori che arrivavano dalla cucina, l'acqua che bolle, le ante che sbattono e il cucchiaino che tintinna contro le pareti della tazza.

Non sapevo allora che quando una certezza svanisce poi svanisci un po' anche tu, che le persone sensibili sentono il doppio di quello che dovrebbero sentire. Avrei voluto dirle che è meglio saperla una cosa, anche se fa male, piuttosto che non saperla, che papà non sarebbe cambiato lo stesso, anche se fosse stata più comprensiva nei suoi confronti. Avrei voluto dirle che lei non era la causa dell'insolenza con la quale la respingevo. Non la capivo quando mi si avvicinava per un confronto, perché non sapevo che ci si sente un po' umiliati a sentirsi soli quando in realtà si è in due. Avrei voluto dirle che non ho mai saputo cogliere l'occasione di scusarmi per essere stata una figlia scorretta e poco paziente.

Dopo la sua morte, smisi di sorridere perché mi sentivo in colpa quando lo facevo, come se fossi colpevole del tempo che passava e delle emozioni nuove che vivevo, avevo paura di dimenticarla, che lei non fosse più il mio ricordo più importante.

Quante volte mi è mancato il coraggio di dire quello che provavo? Quante volte ho cambiato discorso per spostarlo dove non avrei avuto paura della reazione degli altri? E oggi tra me e le persone della mia vita ci sono distanze che non si limitano ai chilometri, alle vie che conosco a memoria, percorse mille volte a piedi. Ci sono distanze diverse che difficilmente si possono colmare, perché a dividerci ci sono le cose che non dicono e come loro credono che io stia.

Le loro sono vite dove il sorriso è il risultato del loro stare bene. La mia è una vita dove tanti sorrisi non hanno portato a nessun risultato. E oggi, anche se spesso vorrei farlo, non riesco a dire la verità sulle mie emozioni senza inciampare. Io che vorrei dire "sto male" mentre la mia voce dice "no, niente". Sono diventata così perché mi sono ripetuta, al punto di crederci, che come stanno veramente le persone è qualcosa che la gente non prende nemmeno in considerazione.

Sono passati otto anni da quando sono andata via da casa di mio padre. Io e te, in un momento di poca lucidità, avevamo deciso di trovare casa e andare a vivere insieme. Continuavamo a dirci che ce l'avremmo fatta, che avremmo messo su famiglia. Lo scontro con mio padre in un certo senso mi fu d'aiuto perché da quel giorno presi le distanze dalla piazza e iniziai a uscire meno, mentre tu non riuscivi a staccarti.

I primi anni ho lavorato come addetta alle pulizie nel supermercato di via Aquileia. Massimo, il dirigente del negozio, mi assunse perché era stato un grande amico di mia madre e disse che era disposto a fidarsi. Anche lavorare mi ha aiutato a rompere con la piazza, con tutte quelle persone che avevano ripreso a cercarmi solo quando avevano saputo che avevo trovato lavoro e quindi denaro.

A tua insaputa mettevo dei risparmi da parte perché volevo viaggiare, non l'avevo mai fatto prima in vita mia. Ricordo che mentre le mie compagne partivano per le vacanze insieme alla famiglia, io cercavo lavoro, un impiego che mi garantisse un minimo di indipendenza. Così non sono mai stata all'estero e quello che so del mondo, l'ho letto nei libri e visto nei documentari.

Quando ero bambina rincorrevo i turisti. A primavera inoltrata, il centro si riempiva di persone munite di zaino e macchina fotografica. Mi aggrappavo al loro braccio e con un inglese scolastico chiedevo di portarmi con loro, di mettermi nella valigia che tanto non se ne sarebbe accorto nessuno. Mi guardavano sorpresi, qualcuno pensava fossi una ladra, gli interpreti mi cacciavano puntando il dito lontano. Non so per quale ragione, ma sentivo che qualcuno un giorno mi avrebbe presa e portata con sé. Ho atteso per una vita che qualcuno si accorgesse di me. Che qualcuno mi tenesse con sé. Restavo a casa da sola quando ero appena una ragazzina e i miei andavano in Francia a trovare i parenti. Mi dicevano di non uscire e di non aprire agli sconosciuti, a volte mi chiudevano in casa portandosi via la chiave. Così sono cresciuta in fretta, imitando i più grandi, fingendomi adulta, diventando madre di me stessa.

Da quando sono andata via di casa, non ho praticamente più parlato con mio padre. Le rare volte in cui ci vedevamo, ci limitavamo a fingere che la vita dell'altro ci interessasse. Ogni tanto gli spedivo dei soldi e lui mi ringraziava via messaggio. Non gli ho più chiesto di mamma. Da quando sono andata via di casa, le uniche cose che mi legano a lui sono il ricordo di mia madre e una cicatrice sulla nuca, ricordo della sera in cui lui mi ha attaccata al muro.

I primi mesi nel nostro appartamento sono stati un susseguirsi di giornate tutte uguali. Assistevo impotente al tuo suicidio, al tuo inconscio bisogno di sopprimerti. Tu non hai mai voluto smettere, non hai mai voluto nemmeno un figlio. Avevo paura di perderti quando discutevamo, mentre tu avevi solo paura di perdere.

Standoti accanto, ho capito che non si può cambiare una persona con la sola forza dell'amore. Che dovremmo valutare chi ci sta accanto non in base a quanto ci manca, ma a quanto ci cerca. Avevo fatto in modo che l'idea che saremmo riusciti a costruire qualcosa insieme avesse la meglio su quella voce dentro di me che non volevo ascoltare, che non volevo decifrare.

Che ti amavo l'ho scoperto mentre te lo dicevo

una sera in cui non mi stavi ascoltando perché eri preso dalla tua depressione agitata. Mi sono incolpata anche quella volta perché eri stato tu a dirmi che bisognava innamorarsi non di chi ce lo diceva ma di chi nel tempo te lo dimostrava.

"Conta di più sentirsi amati che sentirsi dire 'ti amo' Ifem. Non mi fare pesare il fatto che io non ti dico mai 'mi manchi' o cose simili. A volte è come se tu avessi bisogno di parole mentre io cerco i sentimenti."

Abbiamo organizzato mille viaggi, deciso di guardare mille film al computer e non ne abbiamo visto uno.

Il giorno in cui ti raccontai di mia madre e di quanto avessi paura di dimenticarla, tu mi dicesti: "Nella vita si può imparare a vivere senza una persona, ma non si impara a dimenticare. Il problema è capire perché una persona manca. Se manca per le cose che faceva, allora sicuramente un altra un giorno potrà prendere il suo posto. Se manca per la sua essenza allora nessuno la potrà mai sostituire".

Mi hai regalato un anello e io l'ho portato come un ciondolo al collo, perché al dito mi sembrava presto. Mi hai presentata alla tua famiglia mentre io a casa mia non ti ho portato mai una volta.

Avevamo scelto quella casa perché ti piaceva il pavimento in quercia e la terrazza che affacciava sul mare.

Tu che quasi non sapevi nuotare ma quando eri triste provavi a restare a galla tenendo gli occhi chiusi perché dicevi che ti rilassava.

Mi leccavi l'ano, il seno, venivi dopo pochi minuti ma a me andava bene lo stesso. Pensavo che dopo di te non sarebbe bastato conoscere altre persone. Dopo di te, sarebbe servita una ristrutturazione. Mi hai insegnato che non si cresce insieme perché ognuno di noi ha il suo passo. "Stare insieme è più un aspettarsi" mi avevi detto dopo che ti avevo rimproverato per i tuoi continui ritardi.

Addormentarci in salotto riempiendo i nostri spazi per tener lontano il freddo quando ci staccavano il gas. Pulire i piatti una volta alla settimana a turno, che poi li lavavo sempre io perché tu fingevi di avere un impegno e uscivi di casa promettendo che l'avresti fatto al ritorno.

Ma un giorno poi non sei più tornato. E ti ho atteso per settimane senza avere notizie.

Un mese dopo, mi ha scritto tua madre dicendomi che ti aveva portato in una comunità di recupero e che stavi meglio. "Ifem non preoccuparti" aveva scritto, e io quelle parole le avevo lette con la sua voce e le lacrime agli occhi.

Da quel momento in poi, non ho mai trovato il coraggio di venire a trovarti, mi limitavo a scriverti.

Ad amarti da lontano.

Sei entrato in comunità e sei cambiato, sei passato dalle mille rassicurazioni ai "ci sentiamo tra un po', aspetta". Aspettavo, mi dicevo che ti serviva tempo per ambientarti, che dovevo esserti d'aiuto, non di peso.

L'incapacità di comunicare e capirci aveva creato un vuoto enorme e le incomprensioni più piccole si erano trasformate in una spirale di problemi inutili. Nel tramonto delle mie intenzioni perché non ero più convinta di niente. Già prima che te ne andassi, guardarci con onestà era diventato difficile, sempre più spesso capitava che la causa dei nostri continui litigi scivolasse nell'indifferenza con un sorriso.

Anche se di te sapevo tutto, le cose che mi dicevi erano sempre meno, non riuscivo più a esprimere con coraggio i pensieri che volevo evitare.

E così succede che, nonostante si continui a portare avanti la relazione, si finisce col non tenersi più per mano e andare solo a letto insieme.

Si finisce col capire che il ruolo che si interpreta nella coppia non ci rappresenta affatto.

Si finisce su una panchina ad aspettare, fino a quando non ci si rende conto che se si vuole che accada qualcosa nella nostra vita, quella cosa dobbiamo volerla e farla noi.

Mi hai lasciata con un messaggio alle due di notte dopo quattro mesi che eri lì.

Hai scritto "non può funzionare così, lasciamo perdere" e poi nulla, nessuna chiamata, nessuna spiegazione.

In quei giorni mi sembrava che tutti riuscissero a realizzarsi, a trovare un proprio spazio, qualcuno da cui tornare mentre io vivevo ancora alla ricerca di un equilibrio che avrei voluto chiamare ogni tanto felicità. Mi sentivo come quando da bambina giocavo al gioco della sedia e non riuscivo mai a trovare posto quando si fermava la musica. Nonostante spingessi e restassi attaccata alle sedie, qualcuno riusciva sempre a precedermi.

Ecco, io, quando irrompeva il silenzio, volevo

tanto avere qualcuno a cui rivolgermi e smetterla di convincermi che chi sta male non lo dice.
Volevo trovare il coraggio di assecondare il mio
desiderio di correre via, correre fino a non riuscire a respirare. Volevo un posto anch'io, per
tutte le volte che non ho detto niente o solo "lasciami stare". Volevo sapere che se un posto per
me non c'era, allora potevo sedermi per terra,
se un uomo per me non esisteva, allora potevo
smettere di avere paura.

Non cercavo un rifugio, ma un luogo dove io
avrei potuto smettere di nascondermi, qualcuno da amare, non per ciò che dice, ma per come
tace, non per com'è, ma per come sono. Non voglio più soffocare l'impulso e aspettare che passi, se servirà voglio dire "mi manchi", se servirò
voglio sentirmi dire "ho bisogno di te".

Il giorno in cui mi hai lasciata, sono andata al mare, sono entrata in acqua e, sdraiata a pancia in su, davanti ai raggi del sole, ho atteso di essere felice. Per minuti ho sperato che funzionasse, ma quando chiudevo gli occhi riuscivo solo a vederti con un'altra, tu che le sorridevi, che le parlavi all'orecchio sottovoce, che la guardavi con lo stesso sentimento che hai provato per me.

Passò un mese, ti scrissi che avevo cambiato lavoro, che mi avevano assunta in un negozio di intimo in centro. "Sto bene e ho cambiato lavoro!" ti scrissi fingendomi entusiasta della notizia.

Mi rispondesti solo dopo qualche ora, dicendomi che stavi bene pure tu, che non era possibile dare dei tempi sulla durata del trattamento. "Non so quando esco da qui" avevi scritto.

Per un po' mi rispondesti con frequenza e tutto sembrava tornato alla normalità, ogni tanto mi scrivevi che ti mancavo ma poi lasciavi squillare il telefono a vuoto per due giorni e sparivi di nuovo.

Io, quando mi scrivevi, volevo ignorarti ma non sapevo come fare.

Sentivo che non volevo dimenticarti, volevo solo riuscire a distrarmi.

Sentivo di non essere capace di rinchiudermi come facevi tu e aspettare che passasse.

Quando uscivo di casa, speravo di trovare una soluzione, qualcosa o qualcuno che mi dimostrasse che non eri poi così determinante per me. Speravo davvero che qualcuno da dietro mi mettesse le mani sugli occhi e mi cambiasse la vita.

Uscivo con altri ragazzi, anche se quando ti scrivevo non te lo dicevo. Ogni persona che ho scelto per redimermi è stata una rivoluzione mancata. Vivevo con la speranza che il tempo avrebbe annullato quelle sensazioni radicate che si facevano sentire ogni volta che mi toccavano in quei punti dove tu ti soffermavi un po' di più durante un bacio o mentre facevamo l'amore. In quei momenti, mi alzavo dal letto con la scusa di andare in bagno e restavo davanti allo specchio a osservare i miei fallimenti e a dirmi che volevo sapere cosa avresti pensato di me guardandomi, anche se avrebbe potuto farmi male. Mi dicevano tutti le stesse cose quando con una scusa mi tiravo indietro e ridimensionavo ogni promessa fatta e ogni aspettativa. Dicevano che ero una stronza, che non mi meritavo niente. Erano convinti di sapere tutto di me solo perché li avevo baciati con la speranza che poi mi sarei innamorata, mi accusavano di essere una menefreghista e io non rispondevo mai perché avevano ragione, li guardavo come a chiedere scusa perché io ero tutte quelle cose perché loro non erano te.

Ho rincominciato a vivere mentre tu non c'eri. Mentre tu non c'eri ho capito che non aveva più senso incolpare tutti e farsi trasportare dagli eventi. Che non aveva più senso controllare la tua vita per perdere la mia. Controllare le mie emozioni per non far capire agli altri la mia vita infelice. Mentre tu speravi di dimenticarmi un giorno e io di dimenticarti ogni giorno, è successo che ho trovato la forza.

Il passo più importante è stato capire che non ci si può sentire completamente annullati e poi svegliarsi una mattina senza l'enorme senso di vuoto dovuto alla mancanza. E anche se ora sto meglio, invasa da una nuova sicurezza, a volte mi dimentico come si respira. Quel mio sguardo basso quando mi dicono qualcosa di bello, quella malinconia costante nei momenti felici c'è ancora.

E anche se ora sto meglio, Yannick, ti auguro tutto il bene che ti voglio.

TERZA PARTE

Guardo la foto di mia madre nel portafoglio, non so per quale motivo.

Entro in casa, il tempo di lasciare le scarpe e la borsa all'ingresso e sedermi sul divano e già suonano al campanello.

Non aspetto nessuno.

Mi avvicino alla porta, scalza, incerta e, tra la curiosità e il fastidio, trovo all'ingresso mio padre che senza giri di parole mi chiede "andiamo a fare due passi, ti va?".

Mi sento in imbarazzo e sorpresa allo stesso tempo.

Non sono mai uscita da sola con mio padre, nemmeno a fare la spesa. Non abbiamo fatto mai nemmeno le scale insieme.

"Quindi vieni o no?" i suoi occhi mi interrogano e dopo un breve silenzio incalza dicendo "ma stai poco bene?". Mi rendo conto che non ho previsto né la domanda, né la risposta da dare.

"Mi metto le scarpe e arrivo" sussurro tra le labbra.

Fuori fa freddo, è buio, una lieve nebbia ci impedisce di vedere cosa c'è in fondo alla via.

Le auto sono poche, tutte parcheggiate ai lati della strada. Appena fuori dal portone, incrociamo un camion della raccolta rifiuti che svuota i cassonetti con un enorme braccio meccanico. Camminiamo piano, in silenzio.

Le parole ci mettono un po' a farsi strada, ma poi mio padre inizia a raccontare.

"Mi hai sempre chiesto perché la mamma quella sera piangeva. Me lo chiedevi con tono d'accusa. I primi mesi pensavo che lei ti avesse detto qualcosa, prima di uscire, ma poi ho capito che non sapevi nulla. Tante volte avrei voluto chiederti com'era vestita tua madre quella sera, quali erano state le sue ultime parole. Dopo che lei è morta mi sono nascosto dietro al troppo lavoro, alle risposte scontrose. Non sapevo più come rapportarmi con le altre persone."

Mio padre si ferma, come se gli mancasse il coraggio, ma poi riprende a parlare.

"Tua madre non poteva avere figli. Quando lo abbiamo scoperto, dopo esami di ogni genere, lei è diventata un'altra persona. Tutti ci chiedevano in continuazione quando avremmo fatto un figlio. I nostri parenti, i nostri amici vivevano come se ci fosse una scadenza da rispettare. Un giorno ci siamo confidati con tua zia Jìna. Le abbiamo raccontato tutto e lei ha proposto di concepire un figlio per noi. Ci ha convinto dicendoci che essendo sorelle era come se fossero la stessa persona. Eravamo d'accordo che sarei stato io a metterla incinta. Ma, come per miracolo, dopo poco tua madre è rimasta incinta e sei nata tu."

Come chi si sveglia bruscamente da un incantesimo, alziamo entrambi la testa per guardarci attorno e capire dove siamo finiti. Lui aggrotta la fronte, e mi chiede con un sorriso un po' tirato "ma quanto abbiamo camminato?".

Il sorriso scompare subito.

Mio padre comincia a piangere in silenzio. Io rimango a guardarlo, incapace di reagire. C'è una distanza infinita tra noi e le vetrine dei negozi degli alimentari etnici, tra noi e le poche persone che ci camminano vicino, tra noi e le voci che arrivano dalle finestre delle case, tra noi e la famiglia che non siamo mai riusciti a essere.

"Quella sera sono uscito, dimenticando il cellulare a casa. Io e tua madre discutevamo spesso in quel periodo, se ricordi. Per qualche ragione lei ha preso il mio cellulare e ha letto i miei messaggi. Non mi aspettavo trovasse quello che forse cercava, perché ero sempre stato attento. Così ha scoperto che io e tua zia ci frequentavamo da anni a sua insaputa. Quando sono rientrato a casa, tua madre era già uscita. Era tardi. Avresti dovuto già essere a letto, ma eri seduta in mezzo alla stanza. Ti ho chiesto dov'era tua madre e mi hai detto che era uscita piangendo, tua madre non piangeva mai. Non aveva pianto nemmeno quando il medico ci aveva detto che non poteva avere figli. Quando ho preso in mano il telefono e ho trovato un messaggio aperto ho capito cos'era successo. L'ho chiamata subito." Mio padre si stringe nelle spalle, tira su con il naso e si schiarisce la voce, tenendo gli occhi fissi sul marciapiede. "Ha risposto dopo uno squillo soltanto, con voce calma. Per un attimo ho sperato che non avesse scoperto nulla ma subito dopo ignorando il mio 'amore dove sei?' mi ha chiesto 'perché?'. Siamo rimasti qualche secondo in silenzio e poi lei è scoppiata a piangere ed è caduta la linea. Ho provato a chiamarla tutta la notte ma lei non ha più risposto. L'ho aspettata sveglio fino all'alba convinto che sarebbe tornata a casa, illudendomi che in qualche modo avrei potuto spiegarle tutto. Mi ero preparato un discorso che ormai sapevo a memoria, ma non sapevo che quel discorso non l'avrei mai fatto, l'ho capito solo quando aprendo la porta, al posto di trovare lei, mi sono trovato davanti due poliziotti che non riuscivano a guardarmi negli occhi. E da quel momento dentro di me è cominciato il vuoto, quello che dura tutt'ora."

Non so cosa dire e riesco solo a pensare a come doveva essersi sentita mia madre. Lui prova ad abbracciarmi, ma lo respingo, ci prova di nuovo e io crollo. Restiamo per un tempo imprecisato abbracciati in mezzo al marciapiede con le ginocchia sull'asfalto, come due bambini che sono stati abbandonati dalla madre in una via piena di gente. Stretta tra le sue braccia, mi ripeto continuamente:

"Quando si ama non si tradisce."

"Quando si ama non si tradisce."

"Quando si ama non si tradisce."

"Quando si ama non si tradisce."

Si tradisce per noia, per curiosità, per superficialità, ma mai per amore. E chi ce lo fa credere ci mente due volte.

Non vedo mia madre da quasi dieci anni e da molto non mi manca più. Per anni, senza di lei, mi sono sentita sola al mondo. Ci sono persone che prima ci salvano e poi ci fanno sentire ancora più soli e credo che mio padre abbia fatto così con lei. Persone che continuano a mancarci anche quando ritorniamo a essere felici, di nuovo innamorati, e così è stato per me con mia madre.

Penso che se serrassimo il cuore come facciamo con gli occhi quando si ha paura del buio sarebbe tutto più facile. Nessuno ci lascerebbe in sospeso e nessuno fingerebbe che non gli importi.

Sento la mancanza dei "ti voglio bene" detti con gli occhi di chi lo pensa davvero, le risate senza nessun accenno di malinconia.

Mi sento triste perché mi è sempre stato detto "sii forte" e non "piangi, se vuoi", come se lo scopo ultimo fosse solo mostrarsi capaci di sorridere e non di stare bene davvero.

Mentre sparisco tra le braccia di mio padre mi rendo conto che si capiscono così tante cose quando non si è più innamorati. Io come lui oggi aspetto qualcuno che mi salvi.

Ci sentiamo soli anche se vicini e legati nel sangue, perché tutti siamo capaci di rincominciare, ma non tutti sappiamo riprenderci.

Riprenderci da un fallimento, da un'educazione troppo severa, da una lacuna e un rapporto mancato.

Riprenderci la vita in mano.

Le gambe mi cedono, mi lascio cadere sulla sabbia fresca e guardo il tramonto davanti a me.

Sono due anni che non torno qui. Prima di partire però ho sentito il bisogno di farlo, perché questo mare mi ha dato tanto. Domani per la prima volta, vado a Brazzaville. Non ho nessuno lì, solo qualche famigliare che ho sentito al telefono un paio di volte e la casa che mi ha lasciato mia madre. Quando ero piccola, mi diceva sempre che quella casa un giorno mi sarebbe servita e io ridendo le rispondevo "cosa ci vado a fare io in Congo?" convinta che quel posto servisse solo a lei. Mi sbagliavo.

Ho il volo domani alle 13.45, mi accompagnerà papà in aeroporto, ha insistito per una settimana e alla fine ho ceduto.

Dice che ha fatto un sogno dove partivo per un posto lontano e non tornavo più.

Mamma, vado perché voglio dimostrare a me stessa che non è vero che sono sempre gli altri ad andarsene e a salvarsi. Vado a salvarmi, a rincominciare per non tornare sui miei passi. A dimenticare tutte le volte che ho lottato da sola per poi tornare sola, nella speranza di sentirmi a casa, anche solo un giorno, lontana da un paese che mi ha resa straniera. Voglio capire se ci sono ancora, se sono ancora viva. Nella speranza di imparare una volta per tutte che devo lasciare andare le persone e le cose che non mi fanno vivere bene. E spero di tornare più forte di quella bambina che scuoteva la testa in continuazione quando le chiedevano se aveva bisogno di qualcosa. Più forte di quella ragazza che voltava pagina per poi ritrovarsi ancora di fronte alla ragione per cui aveva deciso di cambiare. Più forte di quei silenzi che mi hanno accompagnata per tutta la vita, che non mi hanno fatto dire cose che ormai penso non abbiano più importanza. Mamma, vado perché lui mi manca, perché è meglio fuggire piuttosto che aspettare qualcuno che non sa che lo stiamo aspettando.

Vado per tornare diversa, per dimenticarmi che non ci sei e ricordarmi che esisto.

YANNICK

Io posso volerti molto bene e posso anche sperare che un giorno noi riusciremo a parlarci come buoni amici e se mi dai abbastanza tempo riuscirò anche a volere che tu sia davvero felice da sola o con un altro. Ma non mi fido più di te perché non so stare un passo avanti a me, perché non so prevedere le conseguenze di ogni mia azione, perché anche se ora convinto dico che non ne voglio più sapere nulla, una parte di me vorrebbe ancora innamorarsi e se potesse parlare farebbe il tuo nome.

A zio Rems e al compleanno che mi organizzò quando non avevamo niente.

"Ho iniziato a sedici anni. Io sono cresciuto in un quartiere popolare dove tutti almeno una volta hanno provato, anche i preti" dico tenendo lo sguardo basso sulle punte delle scarpe. "Li guardavo affascinato, i miei amici più grandi mentre si facevano, mentre descrivevano nei dettagli l'effetto di quella polvere bianca. 'È come sentirsi dentro tutto il ferro della torre Eiffel' mi dicevano per convincermi a provare."

"Ed è stato così?" mi interrompe una voce che arriva dall'altra parte della sala.

"Cosa?" domando mentre cerco con gli occhi di dare un volto a quella voce tra le persone sedute davanti a me.

"Tutto il ferro della torre Eiffel, ti sei sentito così?" mi chiede un ragazzo. Ha gli occhi verdi e i capelli neri, corti, scalati, sembrano tagliati da poco, tiene la giacca sulle ginocchia e le braccia conserte. È diverso da tutti i presenti in questa stanza e guardandomi attorno mi rendo conto di non essere l'unico ad averlo notato. È vestito bene, non sembra un tossicodipendente, tiene lo sguardo alto, lo sguardo di chi non ha mai avuto debiti con nessuno.

"Sì, mi sono sentito così, per questo poi ho continuato a farmi. Per superare le mie paure."

"E poi?" mi incalza.

"Le paure si superano affrontandole, non con la droga. Io ero piccolo e credevo di aver raggiunto la maturità quando invece non ero nemmeno riuscito a mettermi in salvo. La coca ci appassionava perché gli avevamo dato un significato, era l'unico mezzo che avevamo per uscire dalle nostre vite di merda anche solo per qualche minuto." Alzo lo sguardo per incrociare i suoi occhi. "Quando tocchi il fondo e tutto quello che ti circonda fa schifo, l'unica cosa che ti resta è convincerti che è colpa degli altri, che non sei tu a essere debole ma che è il mondo a essere stato troppo crudele con te."

"Grazie per la risposta" mi interrompe il ragazzo e tra noi cala il silenzio.

Ormai sono due mesi che vengo qui, mi ci ha portato mia madre.

È convinta che confrontarmi con altri che hanno vissuto il mio stesso dramma mi aiuterà ad affrontare meglio i miei problemi e a uscirne definitivamente. Le ho dato retta e regolarmente ogni venerdì pomeriggio mi trovo qui ad ascoltare le esperienze degli altri e a ripetere la mia a chi viene per la prima volta.

A turno, seduti su sedie di plastica arancioni, ci chiediamo a vicenda se ci sono stati progressi. Parliamo voltandoci l'uno verso l'altro in cerca di conferme. Parliamo per tre ore, finché una voce che arriva dalla porta di ingresso pronuncia sempre le stesse quattro parole: "È ora di andare ragazzi!".

Dopo un applauso di gruppo, tutti ci alziamo in piedi e ci dirigiamo verso una delle due uscite, rientrando agli incontri della nostra vita. Con alcuni dei ragazzi, ogni tanto mi capita di uscire a bere una birra o a vedere concerti di band sconosciute nei centri sociali. Poi a fine serata ci salutiamo sempre allo stesso modo: "Allora a venerdì?". E tutti annuiamo anche se non ci saremo, come se avessimo paura di raccontare di cosa è fatta la nostra vita. In quei momenti mi capita di pensare a quando davanti alla porta di casa avevo paura di dire a mia madre dove stavo andando.

"Quando torni?" mia madre me lo chiedeva sempre quando mi infilavo le scarpe o mi preparavo a uscire.

A lei piaceva avere delle risposte, che tutto rientrasse nel suo ordine mentale.

Io avrei voluto perdermi.

È sempre stata estremamente protettiva nei miei confronti ma poco amorevole.

Mi ripeteva in continuazione di stare zitto, di non dire niente, di non rientrare a casa in ritardo e di studiare.

Lei voleva solo che obbedissi, non mi sosteneva, non è mai stata dalla mia parte.

Mamma era danneggiata sotto molti punti di vista: si sentiva in colpa, come quando da bambina commetteva qualcosa che non sapeva se avrebbe suscitato l'ira di suo padre.

Era partita dal Congo convinta di esser forte

come sua madre, di poter diventare dottoressa come lei qui in Italia, ma non si era mai sentita così sola e non aveva mai dovuto sopportare così tante ingiustizie e sguardi colmi di pregiudizio.

Si comportava come se fosse papà la causa di ogni avversità, solo perché l'aveva convinta a partire, solo perché le aveva promesso che qui sarebbe stato tutto diverso.

Erano giovani e a quei tempi non si sapeva molto, chi viveva in Europa mandava soldi con Wester Union, al telefono dai centralini parlava di certezze e ospedali all'avanguardia, lavori ben pagati e millantava case comunali con almeno due stanze per chi aveva figli.

Chi aveva la possibilità, preso dall'entusiasmo, partiva e chi non l'aveva destinava tutti i risparmi a quei biglietti d'aereo che avrebbero permesso ai loro figli di superare il mare di mezzo e arrivare a "na Poto".

In Europa.

I miei non parlavano l'italiano e nemmeno sapevano che questo paese non fosse pronto ai loro tratti e preparato a sostenere le loro ambizioni.

Papà mi raccontava spesso che all'inizio i bianchi sembravano gentili con tutti e che solo quando iniziò a capire la lingua si accorse che quelle stesse persone che prima riteneva "amiche" dicevano "Negro di merda" con lo stesso tono con cui ti dicevano "Grazie" o "Siete i benvenuti".

Vissero per mesi a casa di amici di famiglia, fino a quando mia madre rimase incinta. A quel punto diedero loro una casa.

La gravidanza non era programmata, arrivò per sbaglio, e mamma all'inizio non la visse come una bella cosa, non ne fu per niente felice.

Nella loro situazione non erano in grado di sfamare e crescere anche un figlio e quindi presero la decisione che allora sembrò più giusta: trovare un lavoro entrambi e lasciare gli studi.

Mamma quando smise di studiare quasi non parlò per settimane e quando lo faceva si rivolgeva a papà in lingala con disprezzo. Mio padre si faceva carico di ogni suo sorriso mancato mentre un bandolo di ricordi lo teneva strettamente legato a quei luoghi da cui era partito. Stava per ore al telefono e chiedeva consigli ai suoi genitori che sapevano solo ripetere che loro l'avevano detto che lei non era la donna giusta.

Papà era un manovale di poche parole dai

modi gentili, lavorava in un cantiere edile, era riuscito a ottenere la patente per i camion grazie a un prestito che gli aveva fatto un amico.

In realtà mio padre non la voleva quella patente, non voleva guidare quei camion, lui avrebbe voluto fare qualcosa di diverso dall'operaio sottopagato.

Sin da piccolo pensava di diventare un barbiere e tutte le sere venivano persone a casa nostra a cui, nel nostro bagno, tagliava i capelli per cinque o dieci euro.

Mamma si chiudeva in camera quando veniva gente perché il nostro appartamento non le piaceva, perché si vergognava del fatto che non potevamo offrire più di un bicchiere d'acqua.

Papà invece era amichevole con tutti e quando poteva, in base alle simpatie, si faceva pagare anche qualche soldo in meno.

I suoi clienti erano gente del quartiere, gli volevano bene e lo spronavano ad aprire un salone.

"Faresti tanti soldi" gli dicevano. Lui rispondeva sempre "si vedrà" con il suo accento francofono.

Io lo guardavo mentre si aspettava che mamma lo ringraziasse dopo un complimento e invece lei sapeva solo dirgli che c'erano nuove bollette da pagare e a lui andava bene lo stesso perché era convinto che amare qualcuno significasse accettare ogni cosa.

Il tragitto fino alla stazione lo percorro sempre a piedi e, quando non piove come sta piovendo ora, cammino lentamente perché mi aiuta a riflettere e a elaborare tutte le parole che sono state dette in quella stanza. La prima volta che ci sono entrato ero scettico, mi sembrava che tutti avessero lo sguardo triste e ascoltare le loro esperienze mi faceva paura perché guardando loro, rivedevo le mie cicatrici e le cicatrici ci ricordano che il nostro passato è stato reale.

Ma poi, ascoltando senza giudizio gli altri, ho capito che non posso sempre sorridere e scansarmi, lasciare che tutto rimanga uguale per paura.

Niente cambia se non cambi niente, e così, come gli altri, ho raccontato la mia storia a tutti quelli che hanno avuto bisogno di sentirla fino al punto di impararla a memoria.

La pioggia si scioglie sull'asfalto, rischio di perdere il treno e i miei capelli arrabbiati dicono chiaramente che non ho consultato il meteo. Temporali come questo forse non sono nulla di eccezionale in altre parti del mondo, ma non qui, e nonostante il fatto che l'inverno sia cominciato solo da tre settimane, tutti restano chiusi in casa come se non si sentissero più protetti dalla loro città.

Non ho molto in tasca, aspetterò di arrivare a casa per mangiare qualcosa. Non ho ancora trovato un lavoro, ma mi sono iscritto a tutte le agenzie di collocamento e ogni mattina leggo gli annunci. Attorno a me, persone senza un volto familiare corrono verso l'ingresso della stazione saltando le pozzanghere per non bagnarsi.

Decido anche io di fare lo stesso e in pochi attimi supero la porta di vetro ritrovandomi in un ampio salone pieno di negozi chiusi.

Un signore anziano accanto a me parla al telefono, mi sembra di capire che ci sia un guasto sulla linea Ancona – Rimini e che non arriverà nessun treno prima di questa notte.

"Molto probabilmente partirà solo l'ultimo, quello delle 23.42" spiega un ferroviere a una signora preoccupata. Un gruppo di persone in fondo alla sala si lamenta ad alta voce. L'uomo anziano vicino a me ha gli zigomi alti e il viso triangolare. Potrebbe essere albanese. Parla in una lingua che non conosco e ogni tanto inserisce qua e là qualche parola in italiano, il suo tono ondeggia tra la dolcezza e la severità. Si è accorto che lo sto fissando e, per uscire dall'imbarazzo, gli parlo anche se è ancora al telefono.

"C'è uno sciopero?" chiedo, mettendomi subito una mano davanti alla bocca come a scusarmi. Risponde di no con la testa e per un istante sposta il telefono dall'orecchio per sussurrarmi con un accento dell'Est "Ritardo causa mal tempo" mentre con la mano accenna un saluto.

Mi capita spesso di fissare a lungo le persone.

Sul bus, al supermercato, in sala d'attesa le studio, spesso pensano che le guardi male e allora con un sorriso tirato rispondo "No", "Mi scusi". Spesso uno sguardo non è ciò che siamo, ma gli altri non lo sanno.

Quando ero più piccolo, ricordo che guardando gli altri mi perdevo a fantasticare, mi ponevo domande e inventavo le risposte, mi chiedevo se erano felici, se avevano qualcuno che li aspettava, se anche loro avevano perso qualcuno come me.

Io ho sempre avuto uno sguardo che comunica disprezzo e spesso nella vita ho suscitato antipatie immotivate.

Appaio distante da tutto e da tutti quando invece è il contrario.

Vorrei vedermi in quei momenti, poco prima che qualcuno me lo faccia notare, poco prima che mi giudichino senza che io abbia fatto nulla.

In sala d'attesa un senzatetto dorme profondamente disteso per terra vicino al suo sacco di vestiti e di affetti, nonostante sia bagnato, nonostante il via vai di persone. Sento perfettamente la lancetta dell'orologio che scatta a ogni minuto e guardandomi intorno mi rendo conto di essere l'unico a non avere nessuno a cui dire che arriverò in ritardo. Scrivo a mia madre, anche se lei ha smesso di aspettarmi da anni. Ogni tanto dice ad alta voce senza guardarmi negli occhi che ha perso fiducia in me e che mi aiuta solo perché sono suo figlio.

"Ma qui è sempre così?" dice una voce familiare alle mie spalle.

"Solo quando piove" rispondo, voltandomi.

È il ragazzo di prima, lo riconosco dagli occhi verdi.

"Alessandro" dice mentre si sfila la giacca bagnata e fa una smorfia, di fronte alla propria immagine riflessa in uno specchio.

"Cosa?" rispondo.

Si sposta i capelli bagnati dal viso e sorridendo esclama "Mi chiamo Alessandro, piacere".

"Io sono Yannick, piacere mio" dico con un sorriso forzato.

Hanno soppresso anche gli ultimi treni per il maltempo e tutti in sala abbiamo distolto gli occhi dal tabellone delle partenze nello stesso istante, traditi.

Torneremo più tardi nella speranza che almeno l'ultimo parta.

Mi ripeto tra me "ventitré e quarantadue" come se avessi paura di scordarmi l'orario, perché se perdessi quell'ultimo treno non saprei dove andare.

"Puoi venire da me, se vuoi" mi propone Alessandro mostrandomi un sorriso largo.

D'impulso rispondo di sì, ma poco dopo ho la sensazione di aver commesso un errore.

È da un po' che non sono più sicuro di niente, da un po' di tempo non voglio più essere un peso per nessuno, ma la leggerezza di cui avrei bisogno per poter riuscire a fare qualunque cosa contando solo sulle mie forze ancora oggi non mi appartiene.

Appena fuori dalla stazione, ancora in preda ai dubbi, gli domando "Ma se abiti qui vicino perché eri in stazione ad aspettare il treno?".

"Perché stavo andando da mio fratello" risponde con il fiato corto.

Tiene la giacca sulla testa per ripararsi dalla pioggia incessante e ha un passo spedito.

Non badiamo nemmeno più alle pozzanghere.

"Mi ammalerò" penso.

Inciampo ma tengo il suo passo, per strada ci sono fiumi d'acqua. Le macchine avanzano a fatica.

"È per lui che oggi hai partecipato al nostro incontro? Perché tu non sembri affatto..."

"Un tossico?" mi interrompe.

Tiene lo sguardo fisso davanti a sé e a un tratto curva a sinistra infilandosi sotto a un porticato, rallenta il passo, fermandosi davanti a un portone di legno scuro con un citofono in ottone lucido.

Mi dà le spalle e mentre infila la chiave nella serratura dice con tono scherzoso "Sì, ero lì per lui, e comunque nemmeno tu sembri un..."

Casa di Alessandro è ariosa. Mentre mi guardavo attorno curioso, mi ha spiegato che è un appartamento costruito nel dopoguerra che ha ristrutturato di recente. La disposizione disordinata dei mobili in questa stanza che apparentemente sembra il salotto è il segno evidente del poco tempo passato in casa.

In molti pomeriggi della mia infanzia ho accompagnato mia madre in case come queste, lei stirava le camicie, puliva i vetri, riordinava i letti, faceva il bucato. Io restavo in un angolo confinato nelle mie buone maniere che lei mi ricordava prima di entrare. "Non toccare nulla, hai capito?" diceva ogni volta. Non amava il suo lavoro, essere una qualunque donna delle pulizie.

Per lei la considerazione degli altri era fondamentale. Se non fosse stato per i nostri problemi economici, lei avrebbe continuato gli studi all'università per stranieri di Perugia. Per questo era furiosa con mio padre, perché non era riuscito a garantirle la vita che le aveva promesso.

Il muro del corridoio è tappezzato di foto e mentre lo percorriamo ogni tanto mi soffermo a guardarle lasciando a metà i discorsi. In molte c'è un ragazzo visibilmente più grande di Alessandro che potrebbe essere suo fratello.

Camera sua ha un odore selvatico. Mentre si toglie i vestiti bagnati, dice che posso prendere un asciugamano in bagno e che mi presterà qualcosa di asciutto da mettermi. Mi tolgo le scarpe e la giacca ed entro in bagno. Fisso la mia immagine allo specchio: il viso bagnato e i capelli gocciolanti. La pioggia batte sul tetto e scorre lungo la grondaia.

Apro il cassetto vicino al lavabo e tiro fuori un asciugamano che mi porto al volto con entrambe le mani.

Si è fatta sera e inizio ad avere fame. Le gocce sbattono sui vetri e si allungano sul fondo diventando lacrime. Parliamo di musica. Eric Clapton e Jimi Hendrix. L'odore di fumo riempie la stanza. A tratti sembriamo amici di vecchia data. Lo dicono le nostre risate.

L'orologio segna le venti e dodici.

"Questo libro" dico indicandone uno nella libreria "è l'unico in questa stanza che ho letto".

Alessandro lo prende in mano mostrandomi la copertina come a dire: questo? *L'onda perfetta*, di Sergio Bambarén.

"Sì, l'ho letto perché mi piaceva il titolo, io amo il mare, prima ci andavo spesso."

Avevo tredici anni la prima volta che sono stato al mare.

Dentro di me cresceva un senso di disprezzo nei confronti del mondo, di mia madre che mi negava qualunque cosa.

Lei mi teneva segregato in casa, perché temeva l'influenza che avrebbe avuto su di me il quartiere popolare dove abitavamo.

I miei coetanei uscivano da scuola e stavano in piazza tutto il giorno mentre io stavo in camera mia a leggere, a studiare.

Tante volte avevo desiderato di non esistere.

La mia stanza era poco più di un letto matrimoniale tra quattro pareti coperte di poster e foto di famiglia.

Il giorno del mio compleanno, mio padre mi prese da parte e mi domandò "Vuoi venire con me in un posto?". Sorpreso da quella proposta risposi "Non lo so".

Partimmo nel pomeriggio diretti verso la spiaggia e lo capii solo quando intravidi la pineta che si faceva spazio tra le case.

In macchina papà iniziò a raccontarmi degli anni in cui, da ragazzino, insieme alla sua famiglia scappavano dai ribelli che attaccavano i villaggi.

"Dormivamo con un occhio aperto, perché loro non avevano orari, non c'era mai tregua. Io e i miei amici avevamo imparato a nuotare per sopravvivenza."

"Cioè?" chiesi confuso.

Rise e riprese a parlare. "Perché i ribelli non erano capaci di nuotare e avevano paura delle onde. Nuotavamo per ore in un mare tiepido. Ci chiamavano *Bana a mai*, figli del mare."

Quando parcheggiammo, papà mi disse di spogliarmi e dai sedili posteriori prese una borsa dalla quale tirò fuori un costume da bagno per me che non avevo mai visto. Pensai che forse lo aveva comprato qualche giorno prima per l'occasione. Ci cambiammo in fretta e papà scese dalla macchina con eccessivo entusiasmo.

Guardandolo pensai che non l'avevo mai visto così felice, almeno con me. Io e lui non avevamo un reale rapporto, lui aveva lasciato che fosse solo la mamma a educarmi, a confrontarsi con me, a tirarmi uno schiaffo quando per lei non ero abbastanza educato. Papà si limitava solo a ripetermi o a confermarmi quello che aveva deciso lei.

Passammo un intero pomeriggio tra le onde, indolenti, senza curarci delle ore che passavano come secondi.

Eravamo felici.

Al volante rientrando a casa non disse nulla, teneva gli occhi fissi sulla strada mentre la pineta spariva alle nostre spalle e io guardavo l'acqua asciugarsi sulle mie gambe.

Mi parlò solo dopo aver cenato, mentre pulivo i piatti.

"Non fare cazzate" disse, e quella fu l'ultima volta che mi rivolse la parola.

Il mattino seguente mentre dormivo se ne andò.

Subii così il mio primo abbandono.

E subire un abbandono poi comporta vivere continuamente con la paura che possa riaccadere, e lasciare che la sfiducia verso il prossimo ci neghi il diritto di essere felici e ricominciare. Comporta convivere con una madre che disprezza gli uomini e in alcuni momenti anche suo figlio perché i tratti del suo viso le ricordano l'ex marito.

Spesso, ricordando in ordine sparso gli eventi, ho provato a capire qual è stata la causa del suo abbandono e nonostante vivessimo nella totale precarietà, nonostante lui facesse un lavoro che non gli piaceva e mamma sembrasse sempre triste, non sono mai riuscito a giustificarlo, perché quando ami una persona e sei padre di famiglia cerchi una soluzione, non butti via tutto, perché potrebbe non ricapitarti.

La scelta di mio padre mi ha insegnato che nella vita la risposta più semplice è quella giusta: se ne è andato perché non ci voleva, non mi voleva.

Mamma poi nel tempo si è indurita come il

pane e ha sofferto per anni nello stesso modo silenzioso in cui hanno sofferto tutte quelle donne che nel quartiere sono state lasciate senza una spiegazione. Sono cresciuto con lei, con le sue paure, i suoi fantasmi, la sua rabbia. Sono cresciuto imparando a cavarmela da solo, con la cultura del fare, non del dire. Nella passività dei suoi costanti silenzi quando guardandola furtivamente a tavola ingoiavo senza distinzione frustrazione e cibo.

Da bambino mi sono sempre chiesto perché un uomo affabile come mio padre avesse scelto una donna come lei. Una donna sempre scontenta che si sentiva esageratamente in colpa per ogni piccola cosa. Lui ci ha lasciati per questo forse, perché non c'era occasione felice che distogliesse mia madre dalla sua continua malinconia, che desse tregua ai suoi rimpianti per le sue ambizioni rimaste tali, perché non è facile insegnare a qualcuno, anche se lo amiamo, ad accettare la vita, a essere felice con quello che ha. È stato più facile per mio padre dimenticare che per mia madre imparare. Dimenticare di avere un figlio, che il proprio ruolo è quello di seguirlo e educarlo affettuosamente con dedizione. Dimenticare di avere una famiglia e che il proprio ruolo è quello di proteggerla. Forse mio padre ci ha lasciati perché stava diventando come mia madre.

La malinconia è contagiosa. Se ne è andato perché un rimpianto quando lo provi vuol dire che non puoi più farci niente, e lui non voleva arrivare a quel punto. Quando papà prese le sue ultime cose e le trascinò oltre la porta chiudendosela alle spalle senza nemmeno degnarci di un ultimo sguardo capii che nulla lo avrebbe spinto a tornare e che io sarei diventato un oggetto destinato a scomparire tra le immagini del suo passato.

Ogni volta che ci penso, faccio di tutto per convincermi che tra noi c'è un filo invisibile che ci unisce e che non serve cercarsi, penso a chi mi ha detto che si è aperto un salone a Château Rouge e lo immagino felice.

"Che tipo strano che sei, te l'hanno mai detto?" dice Alessandro con una franchezza che mi spiazza.

"Non ho nessuno che possa dirmelo" rispondo sincero.

"Comunque avevo diciassette anni, ero entrato in libreria e nessuna copertina mi convinceva. Io compro i libri così, in base alle copertine, per questo non leggo mai i classici. È una cosa buffa, lo so. C'è una frase in quel libro che mi ha colpito tantissimo, 'C'è sempre la possibilità di vivere in modo diverso', al punto che volevo tatuarmela sul braccio ma poi mi è mancato il coraggio."

Alessandro si siede davanti a me come a voler sentire più da vicino le mie parole, ma io non ho altro da dire. Porgendomi il libro, mi cita un altro pezzo: "È la paura del giudizio degli altri che impedisce di decidere con la propria testa".

Ridiamo nello stesso istante.

"È la prima volta che ti vedo ridere" mi fa notare.

"Invece tu è la quindicesima volta che lo fai" replico portandomi il palmo della mano davanti alla bocca.

"Le hai contate davvero?" Mi guarda sconcertato.

"No" rispondo e Alessandro fa una lunga pausa, più lunga del necessario, e cambia espressione perché forse si aspettava un'altra risposta.

Spegne la sigaretta schiacciandola nel posacenere, si fa in avanti appoggiando i gomiti sulle ginocchia. "Io ho fame, mangiamo qualcosa?"

Per una frazione di tempo non rispondo, perso nei pensieri.

"Ti sto parlando, mi ascolti?"

Ogni conversazione con mia madre finiva così, con lei che urlava e mi tirava addosso le prime cose che le capitavano tra le mani.

Discutevamo perché avevo smesso di ascoltarla, di seguire le regole che avrebbero fatto di me un buon figlio.

Avevo iniziato a fregarmene, uscivo sbattendo la porta, le bloccavo il braccio quando voleva colpirmi.

Mi ero sempre promesso fin da bambino di scappare da lei non appena ne avessi avuto la possibilità.

Quando i suoi schiaffi iniziarono a farmi meno male e mio padre ci lasciò, capii che ero diventato l'uomo di casa e che potevo permettermi di fare quello che volevo.

Prima di allora non avevo idee, non capivo cosa fosse la vita anche perché con le sue continue restrizioni mia madre me lo aveva impedito.

Litigavamo per qualsiasi cosa, quando mi intimava di far presto e di non perdere tempo in bagno, quando voleva che discutessi con lei gli argomenti che affrontavo a scuola e io mi divincolavo con un "lasciami in pace".

Eravamo diventati isole separate e inaccessibili dove ognuno difendeva i propri confini immaginari con pari intensità.

Incompatibili indipendentemente dal fatto che fossimo madre e figlio.

Non riuscivamo a stare insieme senza scontrarci per un motivo o per l'altro, ma io non volevo una relazione così difficile nella mia vita. Quindi appena potevo scappavo.

Mi rintanavo nelle mie nuove amicizie, nelle file dei concerti, in quelle poche ragazze che mi trovavano interessante.

La musica entrò nella mia vita quando iniziai a guardare fuori dalla mia stanza. Con gli amici, su eMule scaricavamo intere discografie e ci perdevamo in quelle parole che ci rappresentavano così bene da impararle a memoria e ripeterle come fossero nostre.

Le cose da fare erano poche e i miei amici iniziarono a offrirmi le prime sigarette per farmi venire il vizio, così poi anche io le avrei comprate.

Ricordo che la prima la fumai controvoglia.

Fumavamo in macchina, il parcheggio della Coop era cosparso di mozziconi che galleggiavano nelle pozzanghere.

Fumavamo in spiaggia e spegnevamo i mozziconi sotto la sabbia.

Fumavamo soffiandoci il fumo a vicenda in bocca, per coprire l'odore di sconfitta che aleggiava nelle nostre vite.

Le prime fughe da scuola per andare fuori dal liceo classico dove c'erano le ragazze e con loro arrivarono le prime esperienze, le prime gioie e le prime delusioni.

Le trepidazioni del primo amore, le risse per uno sguardo di troppo, i furti nei supermercati e le discoteche dove non potevamo entrare perché ci avevano trovato più volte negli zaini cellulari rubati.

Anche quando non facevamo niente non ci lasciavano entrare, trovavano qualche scusa, dicevano che i vestiti non erano adatti.

Bastava avere la pelle un po' più scura per essere preso di mira, il taglio degli occhi diverso per sentirsi intruso, un cognome con troppe consonanti per sentirsi gli sguardi addosso agli appelli.

Per non pensare ai casini, iniziammo a fumare le prime canne chiusi in cantina, alle feste, ai concerti perché ci rilassava e poi arrivò il momento della cocaina.

All'inizio era tutto uno scherzo, poi divenne il nostro gioco preferito.

La finta fiducia nel futuro che però ci saziava, i pomeriggi che passavano veloci come treni merci.

Una sera pioveva ed era appena iniziata l'estate e noi eravamo diretti a una festa di compleanno in cui ci volevamo imboscare. Camminavamo senza badare alle pozzanghere, ingobbiti con delle buste di plastica in testa per ripararci e nonostante fossimo goffi e le nostre conversazioni infantili, guardandoci insieme pensai che stando con loro sarei diventato presto un uomo.

"Yannick, mi senti?" dice Alessandro mentre mi schiocca le dita davanti al viso.

"Eh?" rispondo, e in quell'istante mi rendo conto di non aver sentito le sue parole.

Alessandro sorride. "Dicevo, in frigo ho degli involtini al pesto che mi ha portato mia madre ieri, ti vanno bene?"

"Va benissimo" rispondo affamato.

Mi avvicina un bicchiere e una forchetta e dopo poco posa due piatti fumanti sul tavolo.

"E comunque no, non l'ho mai mangiato" dico prima di iniziare.

Alessandro, quando beve, gorgheggia.

Mentre mi piego in avanti, senza distogliere lo sguardo dal piatto, e porto il primo involtino alla bocca, gli chiedo "Tuo fratello quindi si fa?".

Alessandro alza gli occhi verso di me e appoggia i gomiti sul tavolo. "Sì, non so esattamente quando ha iniziato, ma con la morte di mio padre lui è cambiato, prima giocava a calcio, andavo a vedere le sue partite. Ora non lo vedo quasi più. Oggi sono venuto al vostro incontro nella speranza di trovare delle risposte." Fa una pausa come se cercasse nell'aria le parole giuste. "Può sembrare strano, ma anche se è mio fratello, io di lui ora so poco. Negli ultimi anni le volte che ci siamo sentiti al telefono le posso contare sulle dita di una mano. Lui è sempre stato una persona triste, sola e inquieta. Quando i miei genitori si sono lasciati, mia madre si è fidanzata con un uomo più giovane che con noi non ha mai avuto buoni rapporti e quando è venuto a vivere in casa nostra, mio fratello, che non era d'accordo, è andato a vivere con la sua ragazza. Non è stata una buona idea, perché lei ogni tanto si faceva e così ha iniziato anche lui."

"Ogni tanto si fa" diceva così sul mio conto Charlotte alle sue amiche che non capivano perché avesse scelto me.

Lei era cresciuta in un contesto benestante.

Io di certo avevo solo un futuro incerto.

Sbagliavo i congiuntivi, lei i nomi dei miei artisti preferiti.

Portava i capelli legati e dietro le orecchie la pelle era più chiara come se la usasse poco. Quando non aveva voglia di parlare annuiva con espressione assente sulla sua faccia da bambina.

Le sue amiche le dicevano con buone intenzioni "anche se si fa *ogni tanto* è comunque un drogato" convinte che io non ci fossi, mentre io ero chiuso in camera sua, seduto sul letto con lo sguardo rivolto il più lontano possibile per non sentire, in attesa che me le presentasse.

Avevo sorriso e stretto la mano a tutte, mentre a turno mi dicevano il loro nome e poi mi ero chiuso in bagno e mi ero messo a guardare fuori come se mi aspettassi che il mondo mi rivolgesse la parola. Sapevo solo dirmi "quelle cose non mi feriscono" e guardandomi allo specchio alzavo le spalle fingendomi impassibile.

Quando stava con le sue amiche, e per messaggio le chiedevo se potevamo vederci, non ero più sicuro che lei accettasse.

Quando stava con i suoi genitori, al telefono rispondeva di fretta e ogni conversazione o mia domanda terminava con un suo "ne parliamo dopo, dài" quasi infastidita.

Quando stava con me e in pubblico camminavamo vicini mi sentivo vulnerabile.

Le persone mi guardavano come se quel posto non mi spettasse.

Charlotte aveva accettato di uscire con me perché le piaceva il mio nome, diceva che le ricordava una vacanza alle Seychelles fatta con i suoi genitori che avevano origini francesi.

L'avevo conosciuta a una festa di compleanno e preso da un coraggio che ancora oggi non mi spiego andai da lei e le chiesi se era fidanzata e poco dopo il numero.

Le feci uno squillo con il cellulare all'orecchio, guardandola negli occhi e, quando sul suo schermo apparve il mio numero, guardandomi disse "Ti salvo".

Ascoltando quelle parole pensai che fino a quel momento nessuna c'era mai riuscita.

Era precisa, non amava scomporsi, nemmeno coi sentimenti.

Non metteva mai il cellulare nella tasca dove infilava le chiavi e quando tiravo fuori il mio, mi derideva perché era tutto graffiato.

Aveva detto più volte "Non voglio innamorarmi" e io ci restavo male anche se non commentavo.

Lo faceva per mantenere le dovute distanze, per ricordarsi che era meglio stare soli che stare male per *uno* che ogni tanto si fa.

All'inizio mi ero convinto che fosse vergine perché non veniva a letto con me. Successivamente mi confidò felice che non era così, che voleva semplicemente farmi aspettare.

Quell'estate pioveva spesso e io andavo a piedi a casa di Charlotte quando i suoi non c'erano, quando le amiche erano tutte occupate, se no ci vedevamo in giro e camminavamo per ore.

Non manteneva mai il mio passo, o mi stava davanti o mi stava dietro.

Una volta glielo feci notare e lei mi disse che non era vero, che potevo aggiungere quella cosa alla lunga lista delle mie inutili paranoie.

Charlotte a volte allentava la morsa e sorrideva, quando in un abbraccio metteva la sua guancia tra la spalla e il collo e un po' si addormentava.

In quei pochi attimi mi ubriacavo mentalmente di prospettive avventurose.

"Voglio provarla anche io" mi disse convinta la sera prima del suo compleanno. Io accettai nella speranza che saremmo diventati più simili. In quel momento avrei voluto essere migliore della mia vita, dirle "no, tu non puoi provarla", "tu sei migliore di me" ma preferivo accontentarmi di chi ero e quando serviva fingevo.

"No, fai tu" mi disse quando, quella sera, preparai le strisce sul tavolo. Aveva cambiato idea guardandola.

Iniziò a parlare come se farsi significasse diventare come me. Io che non facevo altro che distruggermi, striscia dopo striscia, cercando seppure in maniera maldestra, di mascherare il disastro che ero diventato.

Una notte, Charlotte mi aveva chiesto "come hai iniziato?". In genere, domande così personali, Charlotte me le faceva al buio quando non potevamo vederci. Io inevitabilmente pensai a come avevo iniziato, a quel periodo in cui ci fumavamo solo le canne e scappavamo dai supermercati con in tasca rasoi troppo costosi e qualche cosa da mangiare. A quando abbiamo conosciuto Omar e Massimiliano, due ragazzi più grandi di noi, che erano stati in comunità ed erano usciti da poco e che spesso ci raccontavano cose con il solo scopo di stupirci.

Con orgoglio, Omar, un pomeriggio in piazza ci disse "Alla vostra età io non passavo tutto il mio tempo qui. Io facevo i soldi. Mi alzavo alle quattro di pomeriggio tutti i giorni, piazzavo qualche busta, cenavo al ristorante e poi pippavo fino alle tre del mattino."

Un giorno avevamo i soldi e lui ci propose di farci la roba e io dissi di sì, sicuro di ogni cosa. Pensavo che tirarla solo una volta non avrebbe avuto conseguenze. Non avevo mai visto da così vicino la cocaina e non sapevo nemmeno come fare, mi vergognavo un po' davanti agli altri. Quando arrivò il mio turno, presi in mano la banconota arrotolata e tirai su la mia prima riga. Non mi piacque subito, ma continuai a farlo e nelle settimane che seguirono divenne un pensiero costante. Farci per noi non era che un modo per rompere con le distese di grigio che erano il nostro quartiere e le nostre vite. Guardavamo ogni cosa attraverso la lente del menefreghismo. Eravamo consapevoli che non fosse giusto, ma il senso di ribellione che cresceva in noi lo giustificava. Sentivamo che eravamo capaci di qualsiasi cosa.

Io avevo smesso di ascoltare mia madre, uscivo di casa senza dirle niente e rientravo con nuove idee.

Per me era colpevole del fatto che papà se ne fosse andato e volevo fargliela pagare, facendomi del male.

Iniziò tutto come uno scherzo, poi divenne il nostro gioco preferito.

Charlotte, come chi soffre di vertigini, di colpo si tirò indietro. Sempre più spesso si irrigidiva e mi guardava con sospetto.

"Non voglio innamorarmi" mi ripeteva e non lo diceva nella speranza che io le facessi cambiare idea.

Io che avevo cercato me nelle sue intenzioni.

Sentivo una stretta al cuore quando, davanti alle sue amiche, mi trattava come avrebbero fatto loro, perché mia madre lavorava nelle loro case e il mio cellulare era troppo vecchio.

Quando riuscivamo a ritagliarci del tempo da soli, le rinfacciavo ogni cosa e lei invece di scusarsi mi accusava.

"Ma non vedi che sei strafatto?"

"Mi fai schifo!"

"Toglimi le mani di dosso!"

"Guarda che se mi tocchi ancora chiamo mio padre!"

"Non sei niente, sei solo un drogato."

Una volta, stufo, le tirai uno schiaffo con la mano aperta. Poi la strinsi forte, ma sentivo che scivolava via anche se si puntava con i piedi per raggiungere le mie labbra e chiudersi in un bacio. Le storie finiscono quando il bisogno di sentirsi importanti prende il posto del bisogno di sentirsi, quando non si ha più voglia di andare negli stessi posti con gli stessi vestiti dei primi giorni, dei primi "ti andrebbe di andare...", delle passeggiate finite nelle vie secondarie per non dirsi "a domani" troppo presto. Mi parlava dei suoi ex quando voleva ricordarmi che io in fondo per lei non ero che un drogato, per farmi sentire in colpa, in difetto.

Le sue relazioni passate mi facevano più paura delle sue relazioni future, perché quelle le sapeva descrivere benissimo e io pensavo "perché non torni da lui?", "fanculo" ma non lo dicevo. Non c'era un limite superato il limite, sapevamo solo offenderci e ferirci. Ogni nostra conversazione era una continua distribuzione di colpe, al punto di umiliarci e apparire stupidi.

Abbracciarci come se non ci vedessimo da anni nei sedili posteriori dell'auto di suo padre, appannare i vetri e scriverci con l'indice "ciao", mai "addio". Venirle dentro e pensare mentre le tenevo i fianchi che il primo bacio restava comunque il gesto più intimo, perché nemmeno vederla completamente nuda mi faceva provare quella sensazione.

Tutto questo ora sembrava una menzogna.

Ci eravamo dati appuntamento davanti al Teatro Alighieri la sera dopo la rissa in cui otto ragazzi tunisini si erano menati per questioni di droga in pieno centro davanti a Foot Locker. Uno di loro fu accoltellato e portato in ospedale. Ne parlarono tutti i giornali e nel quartiere tutti sconsigliavano di uscire la sera perché si aspettavano una vendetta.

Io uscii lo stesso e sulle scale di quel teatro fumai cento sigarette e non capii mai se Charlotte non venne perché aveva paura o perché non mi voleva più.

Nei giorni seguenti parlando a me stesso mi

dicevo "non dovresti mancarmi" riferendomi a lei, perché mi aveva già sottratto abbastanza. Il sonno per esempio. Notti in cui non c'ero con la testa perché nella mia testa c'era lei.

Pensavo a tutte le volte in cui ci eravamo dimostrati che in fondo non ci conoscevamo affatto.

A tutte le volte che l'avevo perdonata dicendomi "capita a tutti di sbagliare".

A tutte le volte che mi aveva perdonato perché le facevo pena.

Non è vero che avevo bisogno di lei per andare avanti, perché aveva preferito non esserci quando avevo bisogno di lei per andare avanti. Sarei tornato da lei perché mi sentivo isolato e vulnerabile e me ne sarei andato di nuovo perché non mi avrebbe tenuto, perché sapeva sorridere solo con gli altri. Mi mancava il suo sorriso, toccarla con tutt'e due le mani, dirle scusa quando la ferivo. In quei giorni che sembravano anni pensavo che non aveva senso il fatto che nonostante tutto esistevano una serie di motivazioni che mi avrebbero spinto a tornare dove non c'era ragione di restare.

Alessandro si tocca la fronte come a riordinare i pensieri e continua a parlare. "Nel frattempo mio padre si ammalò e quando mio fratello lo venne a sapere reagì male. Loro avevano un buon rapporto. Mio padre a differenza di mia madre non giudicava i silenzi di mio fratello. Anzi, diceva con orgoglio che doveva difenderli, perché erano il particolare che lo differenziava dagli altri."

Mentre mi racconta, tiene la forchetta a mezz'aria e dà l'impressione di stringere una bacchetta che agita lentamente come un direttore d'orchestra.

La sua voce si addolcisce. "In realtà non abbiamo fatto molto per stargli vicino. Io ero concentrato sui miei studi e mia madre si occupava di mio padre e del suo nuovo amore. Credo che sia anche colpa mia se oggi lui è in questa situazione. Per questo voglio aiutarlo."

Alessandro lava i piatti con gesti meccanici e li ripone negli armadietti puliti con precisione femminile.

Si toglie il grembiule, lo appende dietro alla porta e propone di guardare un film, mi dice "Lo scegli tu".

"No, scegli tu è meglio, io scelgo solo film brutti" gli rispondo.

Io non sono mai stato bravo a scegliere per gli altri.

"Quindi che si fa?" ci chiedevamo al telefono prima di incontrarci e io sempre indeciso rispondevo "fate voi".

Era da poco finita l'estate.

Massimiliano, prima che rientrassimo tutti nella nostra routine invernale, ci propose un viaggio.

"Ragazzi, partiamo per una settimana?"

"E dove vuoi andare?"

"Andiamo a Cattolica!"

"Ma è qua dietro, io pensavo tipo di andare all'estero" disse Omar perplesso.

"Non abbiamo i soldi per andare all'estero e poi io lì ho una casa e possiamo fare il cazzo che ci pare" gli rispose con convinzione Massimiliano.

Partimmo con un treno regionale venerdì 4 settembre. Il tabellone degli orari sul binario diceva che saremmo arrivati in tre ore senza cambi. Alla fine non andammo tutti, qualcuno restò a casa perché era senza soldi, altri perché non avevano avuto il permesso dalle rispettive ragazze come fossero sposati e io ascoltandoli, mentre si giustificavano, pensai che presto li avremmo persi, che la loro relazione avrebbe fatto da muro alla nostra amicizia e nel giro di qualche mese fu davvero così.

Io avevo preso trenta euro dal portafoglio di mia madre ed ero uscito senza avvisarla.

Era diventata un'abitudine prenderle soldi a sua insaputa.

Lei aveva iniziato a capire qualcosa e ogni tanto mi faceva i tranelli, lasciava cinque euro sul tavolo in cucina e fingeva di averli scordati lì per vedere se me li intascavo senza dirle niente.

Avevo bisogno di allontanarmi da quei luoghi che conoscevo a memoria, convinto che sette giorni mi sarebbero bastati.

Avevamo scelto gli ultimi posti dell'ultimo vagone perché non avevamo preso i biglietti. Il treno era affollato e quindi se il capotreno avesse controllato tutti non sarebbe arrivato in tempo.

Molte persone stavano in piedi, qualcuno seduto per terra o su una valigia.

Il treno era così affollato perché era diretto a Pescara e sostava a tutte le fermate.

Durante il viaggio, gli altri parlavano tra di loro a volume troppo alto, ascoltavano musica seduti scomposti senza badare agli altri passeggeri che li osservavano sconcertati.

Io guardavo fuori e mentre i paesaggi sparivano inghiottiti da altri paesaggi, pensavo: "L'estate è finita".

Ora torneranno i sabato sera davanti a un film oppure fuori dal cinema e nelle sale giochi a guardare uno schermo in quattro. Ora torneranno i vestiti pesanti, i pomeriggi monotoni con gli amici seduti sempre nel solito bar in piazza.

Torneremo a correre per non perdere l'autobus, ci mancheranno i pantaloncini corti, i tramonti in riva al mare, la musica a tutto volume e chi ci rimproverava dalle finestre di fare piano.

Ci mancherà cambiare posto, vedere un mare

diverso, conoscere persone nuove, incontrare quei due occhi che ci hanno fatto innamorare e ci hanno lasciati in sospeso per il tempo di un'estate.

Mi mancheranno le piogge estive, quelle che di prima mattina mi ricordavano che sarebbe arrivato settembre. Che ogni anno mi spiega che posso fuggire dove voglio, ma che dove vado conta fino a un certo punto quando non so più cosa guardare. Che non la dimentichi una persona con una vacanza, a volte ci vuole una vita intera. Settembre che agli illusi come me insegna che la cosa peggiore è quando ci fanno sentire speciali e poi dobbiamo fingere per un anno intero che dell'amore vissuto in quei tre mesi non ci è mai importato nulla.

Casa di Massimiliano era composta da quattro stanze sprovviste di mobili, eccezione fatta per una serie di scaffali pieni di libri che occupavano per intero due terzi del salotto.

Alle pareti erano appese le sue foto da piccolo e in un altro angolo sopra una credenza c'erano le foto dei suoi genitori.

Quasi tutte le finestre affacciavano sul mare, da una invece si vedeva un cortile ricoperto di cespugli ed erba alta.

Dalla strada, il palazzo aveva un aspetto ordinato e il fatto che fosse a pochi metri dal mare lo rendeva ancora più signorile.

Nella zona eravamo praticamente gli unici rimasti, perché l'afflusso dei bagnanti era drasticamente calato e i turisti erano rientrati quasi tutti nelle loro città.

La spiaggia era desolata e camminando ogni tanto incrociavamo qualcuno del posto che correva o portava a spasso il cane.

Quella fu una vacanza importante e la prima che trascorsi lontano da mia madre.

C'erano momenti in cui stare lì aveva il sapore di castigo, i pensieri non mi davano tregua e di notte quando tutti dormivano leggevo i libri che trovavo in salotto.

Mi sedevo per terra al centro della stanza e provavo a leggere le prime pagine nella speranza di trovare parole che mi coinvolgessero. Il primo libro che ho letto per intero è stato *Strategia del potere negro* di Carmichael. Raccontava con forza l'esperienza diretta dell'autore afroamericano e il movimento dei diritti civili nel corso degli anni Cinquanta e Sessanta nell'America razzista. Per me rappresentò un risveglio brusco da un lungo sonno, uno scossone che ribaltò tutto ciò in cui credevo e che avevo dato per scontato fino a quel momento. Mi promisi che tornato a casa avrei continuato le ricerche e che avrei aiutato la mia comunità con tutti i mezzi. Lo infilai nella borsa e me lo portai via insieme ad altri libri simili che trovai in quei giorni nella stanza.

La mattina, appena ci svegliavamo, davamo due o tre tirate e ci sentivamo euforici. Io avevo sempre un sorriso pazzesco e quando iniziavo a parlare non finivo più. Alternavo discorsi di senso compiuto a citazioni approssimative trovate nei libri, a riflessioni confuse che i miei amici trovavano noiose e da borghesi. Si vedeva da lontano un miglio che eravamo fatti ma non c'importava perché stavamo bene. Il mare smuoveva pensieri balordi e ravvivava il nostro entusiasmo.

Omar una mattina in spiaggia mi disse: "Per me dovremmo andare a vivere tutti insieme in un posto lontano, che dici?".

L'acqua era verde al punto che non era possibile vedere il fondo quando ci si immergeva fino al busto.

Gli altri avevano corso e si erano subito tuffati mentre noi eravamo seduti sulla sabbia.

"Sarebbe bello" risposi stringendo gli occhi per il troppo sole.

"Dove andresti tu? Io vorrei andare a Panama."

"Panama?" domandai cercando di capire dove si trovasse.

"A me andrebbe bene qualunque posto" sussurrai con voce roca.

"Potresti essere più specifico? Per una volta deciditi, dimmi un posto."

Pensai a lungo a dove sarei voluto andare. Mi concentrai perché volevo avere una risposta ma mi limitai a dire "lontano da casa mia".

"Dài, dimmi un posto, finiscila di fare il negro intellettuale. Guardati attorno e indicami dove vorresti essere."

"Vorrei essere qui" risposi indicando con l'indice la mia tempia.

Omar si mise a ridere tanto forte che tutti si voltarono verso di lui. "Che è successo?" chiesero dall'acqua.

"Ragazzi vi prego, troviamo una ragazza a Yannick perché sta delirando" esclamò tra le risate.

Davvero non sapevo dove sarei voluto andare, mi sarebbe andato bene qualunque posto diverso da quello in cui mi trovavo.

Perciò allungai la mano per attirare l'attenzione di tutti e urlai "Qualunque posto, mi va bene qualunque posto!".

La televisione è sistemata su un mobile antico, Alessandro ha scelto un film di Takeshi Kitano che non ho mai visto. *L'estate di Kikujiro*.

Dire che guardiamo il film è un po' un'esagerazione, qualche scena forse, ma siamo troppo presi a parlare e io continuo a distrarmi ossessionato dai miei problemi: devo trovarmi un lavoro, mi serve una casa, devo cambiare le cose.

D'un tratto il respiro di Alessandro si fa più lento e io mi volto a guardarlo.

Si è addormentato seduto, in un silenzio immobile. Mentre dorme sembra più giovane.

Apre per poco gli occhi, mi sorride e si mette più comodo.

L'orologio segna le 22.18.

Decido di andare in stazione che ormai il treno dovrebbe arrivare. Scrivo su un foglio "grazie", lo lascio sul tavolo e prima di uscire prendo in prestito un ombrello vicino alla porta.

Ha smesso di piovere e si è alzato il vento, l'umidità mi entra nella pelle e io mi stringo tra le braccia mentre attraverso la città ormai completamente vuota.

Riesco a prendere il treno al volo, trovo posto, mi siedo e sento l'odore di polvere che si portano dietro i sedili.

Il treno arranca tra case e stazioni che ne fermano la corsa lenta e scomoda.

Non sono triste ma nemmeno felice. Penso ad Alessandro che si batte al posto del fratello. Penso a mia madre e a quanto ha sofferto a causa degli uomini della sua vita.

Poggio la testa sul vetro e il mio alito lo appanna.

Ogni cosa fuori è illuminata e da qui osservo tutto come se si proiettasse da uno schermo cinematografico. Ognuno qui, me compreso, è ripiegato tra i suoi bagagli e il suo cellulare nel tentativo di nascondere qualcosa.

In stazione non c'è nessuno ad aspettarmi e io a memoria mi dirigo verso casa a piedi.

Di notte qui è così silenzioso che riesco a sentire ogni mio passo e pensiero.

Poche luci sono accese e le macchine parcheggiate sembra che dormano anche loro.

Supero il teatro Alighieri e il negozio della mamma di Omar dove organizzammo la finta rapina per procurarci qualche soldo la sera in cui lui la sostituì a lavoro. Passo casa di Massimiliano e il balcone dove andavamo a prendere una boccata d'aria e a rispondere al telefono, la piazza dove siamo cresciuti e il muretto che ci restituiva sempre il pallone, il bar degli anziani che giocavano a carte che poi scoprimmo essere un circolo Arci, i marciapiedi dove ci siamo rincorsi e picchiati e infine intravedo casa mia.

Supero il cancello arrugginito e suono al citofono.

Un suono meccanico apre la porta di vetro e io mi appresto a entrare, ma un dolore che ho tenuto nascosto per troppo tempo mi investe.

Mi volto e inizio a correre.

A ogni passo sento una voce dentro che mi scuote.

Mi urla, sale dal cuore e assorda le orecchie, spingendomi in una direzione senza ritorno.

La voce che mi parla si fa spazio tra i miei ricordi.

Mai più accetterò ogni cosa e mi convincerò che amare qualcuno è questo.

Mai più sorriderò come a dire che non è successo niente di grave, che si può continuare a vivere solo per rendermi la vita più semplice.

Mai più lascerò che mi amino per quello che faccio.

Dovranno volermi per quanto valgo.

Corro senza voltarmi e piango, senza vergogna.

Le zone umide dalle lacrime si ghiacciano, le strade sono deserte, corro più che posso come per cercare di liberarmi.

Dovranno volermi con i miei silenzi, col mio orgoglio testardo.

La mia vita non sarà migliore, ma diversa.

Vivrò a pieno i giorni sereni e in quelli difficili cercherò semplicemente di resistere.

Mai più lascerò che la prudenza e l'abitudine mi dicano "Vattene" quando invece vorrò restare.

*Mai più lascerò che la vita accada, che diventi come
quei legami che non ho saputo gestire.*

Non colmerò la mia solitudine con chiunque.

Il marciapiede davanti a me inizia a stringersi
e ai lati le immagini sono come risucchiate da
qualcosa in fondo alla strada. La rabbia si tra-
sforma in adrenalina e poi torna rabbia.

Corro più che posso.

Nella mia mente rivedo l'anno appena trascor-
so: le finestre sempre spalancate della comunità, l'ultimo giorno in quella stanza e mia madre che mi aspetta fuori come se stessi uscendo
dal primo giorno di scuola, le mattine in cerca
di un lavoro, sdraiarsi sul letto e rendersi conto di non avere più amici, di aver perso l'unica persona che forse mi ha amato veramente.

Corro più che posso.

*Mai più mi faranno sentire in errore per errori che
non ho commesso io.*

*Mai più mi faranno credere che sono stato io ad
aver capito male.*

Mai più vivrò nel passato.

Ai bei ricordi preferirò i bei momenti.

Sento i polmoni andare a fuoco, i vestiti impregnati dal sudore, i capelli attaccati alla fronte e mille scariche di brividi mi attraversano la pelle.

Corro più che posso cercando di capire cosa mi sta succedendo e la mia immaginazione corre quasi quanto le mie gambe.

Di colpo mi fermo. Chiudo gli occhi e mi sdraio per terra.

Tengo le braccia larghe e faccio respiri profondi.

Stremato mi giro sul fianco e mi addormento quasi all'istante.

Mai più smetterò di amare la vita.

"Yannick?"

Una voce mi chiama o forse è solo la mia immaginazione.

"Yannick?!"

La voce è reale, echeggia da lontano dentro e intorno a me.

La sento nel buio, è una voce che conosco.

"Yannick, stai male?"